スキップ・ビート!

第7巻

仲村佳樹

目次

スキップ・ビート！

ACT.36 魅惑《みわく》のサクセスロード

…………
し――――ん…
…あれ……？
…セリフの続《つづ》きはもう来《こ》ないのかな……？
もうすぐ例《れい》のあのセリフなのに
不機嫌そうに）お前こそ俺の事本気で嫌いだろう…』
……

短期間のうちに
ずいぶん演技《えんぎ》上手《うま》くなったね……
え⁉
ほ…本当《ほんとう》ですか⁉
〝相楽夏季《さがらなつき》〟の『勝《か》ち気《き》』な役柄《やくがら》をうまく表現《ひょうげん》してたよ
セリフはもちろんだけど
ふとした表情《ひょうじょう》だけでもね
…あ
それは
あの
養成所《ようせいじょ》で習《なら》ったんです‼
役柄《やくがら》を言葉《ことば》に頼《たよ》らずに表現《ひょうげん》するっていう課題《かだい》で‼
同《おな》じ感情《かんじょう》や行動《こうどう》でも『役《やく》』の性格《せいかく》によって表現《ひょうげん》が違《ちが》ってくるんですよね‼
サイレント・ムービーを真似《まね》て何度《なんど》かセリフ無《な》しのお芝居《しばい》をやらされたんですけど
言葉《ことば》を使《つか》わない分《ぶん》いろいろ考《かんが》えちゃって

難《むずか》しかったけど
でも…
えへへ
すごく
楽《たの》しかった………!

…『楽《たの》しい』——……!?
…何故《なぜ》…
えっ?
演技《えんぎ》する事《こと》が…?
…君《きみ》
でも
演技《えんぎ》の勉強《べんきょう》は
不破《ふわ》への復讐《ふくしゅう》のためにやってたんじゃないのか——…?
…ち
呼んだ?
にょろ
ショータローへの条件反射
違いますっ!!
断固違いますっ
命かけて違いますっ!!
誰《だれ》があんな奴《やつ》のために!!
私《わたし》そんな不純《ふじゅん》な動機《どうき》で演技《えんぎ》の勉強《べんきょう》してるんじゃありません!!
いえ…
そりゃ確《たし》かにキッカケは不純《ふじゅん》だったケド……
この男を自分の演技でオロオロさせたい オロオロさせたい オロオロさせたい!×100
——!…
クロール
……

…
…だったら
何《なん》のために……？
『最上《もがみ》キョーコ』を
作《つく》るため
…かな…

——…私《わたし》…
子供《こども》の頃《ころ》から自分《じぶん》が何《なに》かをやりたいと思《おも》ってやった事《こと》って何一《なにひと》つなかったんです…
いつも
私《わたし》が何《なに》かに打《う》ち込《こ》む時《とき》は
ショーちゃんのお父さんが喜んでくれるから
自分以外《じぶんいがい》の誰《だれ》かのため
ショーちゃんのお母さんが喜んでくれるから
他人《たにん》の気持《きも》ちを中心《ちゅうしん》に
ずっと

世界《せかい》がまわってた――…
笑《わら》ってくれるから
夢《ゆめ》がかなうと
ショーちゃんが笑《わら》ってくれるから――!!
100点とりつづけたらきっと
いつかお母《かあ》さん笑《わら》ってくれるから――…!!
……

ああ――……
――……でも……
今《いま》は違《ちが》う……
演技《えんぎ》の勉強《べんきょう》してると
自分《じぶん》の力《チカラ》で新《あたら》しい自分《じぶん》を生《う》み出《だ》して
育《そだ》てていけてるって思《おも》えるんです
――誰《だれ》かのためじゃない
それが嬉《うれ》しくて
一生懸命《いっしょうけんめい》やってきた総《すべ》ての事《こと》が
確実《かくじつ》に
自分《じぶん》のために
もっと
いろんな経験《けいけん》をして
吸収《きゅうしゅう》して
もっと
〝私《わたし》の世界《せかい》〟を広《ひろ》げたいから――……
本当《ほんとう》の　私《わたし》に

『最上《もがみ》キョーコ』に
なってく感《かん》じ——……
…だから……
ショータローなんか関係《かんけい》ない——……
演技《えんぎ》の勉強《べんきょう》してるんです……
——…なんて……
…無理《むり》…かな…
信《しん》じてもらえませんよね……
こんなの
説得力《せっとくりょく》全然《ぜんぜん》無《な》いもん……

――……いや……
――私《わたし》…

どんなに
熱《ねつ》でフラフラになっても
自分《じぶん》の好《す》きな事《こと》に
目一杯《めいっぱい》打《う》ち込《こ》める敦賀《つるが》さんが
羨《うらや》ましかった──…
いつか
私《わたし》も
あんな風《ふう》になりたいって
憧《あこが》れた──…
性懲りもなく無駄に開かれた参考書
──…だから

君《きみ》は そんなに 俺《おれ》が嫌《きら》いか ……?
あの時《とき》
答《こた》えに
困《こま》ったの…
だって――……
――いや…
よく
わかるよ――…
――よく
わかった――…

私に
あんな神々しくも甘《あま》やかな笑顔《えがお》見せてくれるなんて──…
自分の見たものがまだ信じられない…
…ち…
…私《わたし》──…
敦賀《つるが》さんのこと……
嫌《きら》いじゃ
ないかも──…

AM3:05
パタ…ッ
コロコロコロ
…す――――……
……――

……
水分補給に起きてきた
す――…
…やれやれ…
…お嬢《じょう》さん…
ちょい
そんな所《ところ》で寝《ね》てるとカゼひきますよ
ちょいちょい
…ん…
モソ…
ん…？
ぽち…
ちゃんと寝《ね》た方《ほう》がいいよ
ゲストルームにベッドがあるから
神々《こうごう》
そっちで
…

…何《なに》かな？
その反応《はんのう》は
失礼な…
…いえ…
ちょっと…っ
は～～…
は～～…
…いけない…
私《わたし》のこの荒《すさ》んだ
心《こころ》と目《め》には
あの笑顔《えがお》は
まぶしすぎる
……!!
今わかったわっ
私にはウソ・毒吐き
紳士スマイルで
ちょうどいいっ
…
君《きみ》は昨夜《ゆうべ》も
俺《おれ》の看病《かんびょう》で
寝《ね》てないいん
だろう…？
受験勉強《じゅけんべんきょう》も
ほどほどにした
方《ほう》がいいんじゃ
ないか？
!!
でもっ
私《わたし》っ
社長《しゃちょう》さん
から 高校《こうこう》の
お話《はなし》をいただいて
からというもの
ほとんどまともに
受験勉強《じゅけんべんきょう》して
ないんです!!
ええっ
原因《げんいん》の大半《たいはん》は
貴方《あなた》の演技《えんぎ》に
見入《みい》ってて!!
…だからさ…
どうしてそこまで
必死《ひっし》になって勉強《べんきょう》
しなきゃならな
いんだ？
そ…っ
それはっ
今《いま》の君《きみ》を
見《み》てると
まるで

全教科《ぜんきょうか》100点《てん》でも取《と》らなきゃいけないみたいだ
……
……あ……
…そうだ……
…私《わたし》……
別《べつ》に
100点《てん》取《と》らなきゃいけない訳《わけ》じゃなかったんだ……

…だって
これは
母《はは》の───…
あのヒトの
ご機嫌《きげん》をとるための
受験《じゅけん》じゃない───…
ヘタァ…
私《わたし》
いつの間《ま》にか
〜〜〜〜…
は〜〜〜…っ
はにゃ ふにゃ へにゃ ほにゃ
『100点《てん》取《と》らなきゃ』
って強迫観念《きょうはくかんねん》に
駆《か》られてた───…
ははは…
イヤだ……
習慣《しゅうかん》って
怖《こわ》〜〜い
あ〜も〜私《わたし》
バッカみた〜い
クックックッ
笑いをかみ殺してる

頑張《がんば》るのはいい事《こと》だけど
何事《なにごと》も過剰《かじょう》は良《よ》くないよ
受験当日《じゅけんとうじつ》にバテてしまっては本末転倒《ほんまつてんとう》だからね
実はそのタイプ
そういえばよく前日《ぜんじつ》まで死闘《しとう》の様《よう》に勉強《べんきょう》しては 当日意識《とうじついしき》がもうろうとしていた様《よう》な…!!
そして100点を取りにがしていた
…
…図星《ずぼし》か…
今夜《こんや》は君《きみ》もゆっくり休《やす》んだ方《ほう》がいい
俺《おれ》の方《ほう》も昨日《きのう》の体調程《たいちょうほど》最悪《さいあく》じゃないから
しかし念のためもう一晩泊まり込んだキョーコ
お風呂《ふろ》で疲《つか》れを落《お》としてね
お…!?
ピクッ
お風呂《ふろ》…!?
シャワーでさっぱり
湯船でまったり
ホワホワホワ
極楽浄土
入《はい》りたい…!!
は…っ
スゴク
入《はい》りたいけど…!!
…でも…
お…男《おとこ》の人《ひと》の部屋《へや》でお…お
お風呂《ふろ》に入《はい》るなんて……っ
およおよ
そんな年頃の乙女がはしたない
…おや?
もしかして何《なに》か警戒《けいかい》してる?

俺《おれ》が 君《きみ》の
入浴《にゅうよく》シーンを
のぞいてみたり
乱入《らんにゅう》したり？
HA《は》ーーーー!!
くりん くりん
カチコーーンッ
!!
!?
……
……
…やるかもしれない…この人なら
そんなイヤガラセも
ムカッ
ムカつく……!!
『おいおい本気《ほんき》かよ
君《きみ》みたいなのの身体《からだ》
イヤガラセでも見《み》やしな
いよ』って口《くち》で言《い》わ
れるより ずっと!!
地味で色気のねー女
コンプレックス
そっちがそう
来《く》るならこっちだって!!
お風呂《ふろ》!!
本当《ほんとう》にいただい
ちゃいます
から!!
そうそう
ゲストルームは
こっちのドア
だから
まちがえて
俺《おれ》の部屋《へや》に
頼《たの》まれても
入《はい》りません!!
気持ちいいからって
くれぐれも風呂で
寝ませんっ
寝不足
だからって朝
寝坊なんか
いたしません!!
はい どうぞ
ごゆっくり
新しい
ミネラル
ウォーター
俺《おれ》は再《ふたた》び
安眠《あんみん》に入《はい》る
から
ーーーと、

不仲《ふなか》の様《よう》で
その実《じつ》
取《と》っては返《かえ》す
言葉《ことば》のあやとりを
繰《く》り広《ひろ》げた
翌日《よくじつ》の
チュン
チュン
チュン
男《おとこ》と
トントントントントントントン
今朝の体温
37度5分
トントントントントントン
トーントントン
トントントントントントン
女《おんな》と
トントントントントン
トントントン
トントントントントン
トントントントン
トントントントントン
トントントントントントントントントントントントントン
不幸《ふこう》な
親父《おやじ》──。
……っ
……っ
……っ
──…
トントントントントントン
トントントントン
──…

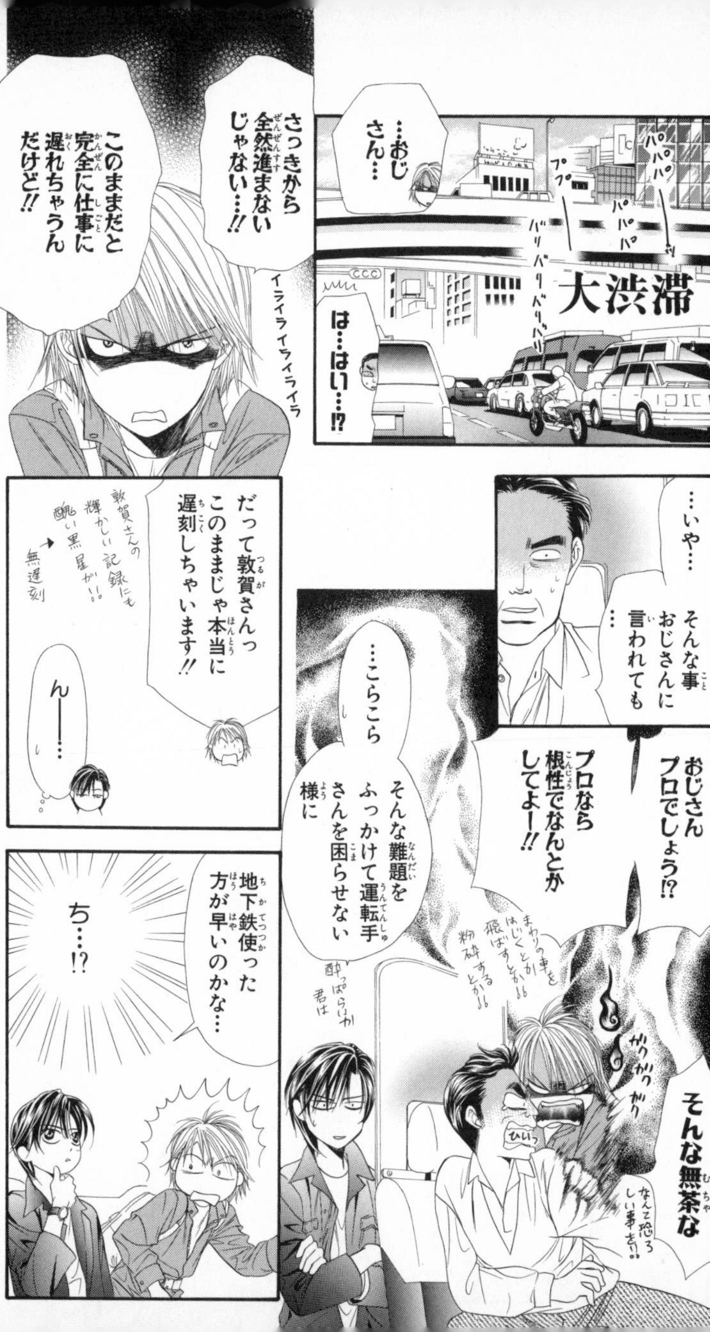
パパパ
ププー
パパパ
バリバリバリバリバリ
大渋滞
…おじさん…
は…はい…!?
さっきから全然《ぜんぜん》進《すす》まないじゃない…!!
このままだと完全《かんぜん》に仕事《しごと》に遅《おく》れちゃうんだけど!!
イライライライライライラ
…いや…
そんな事《こと》おじさんに言《い》われても…
だって敦賀《つるが》さんっこのままじゃ本当《ほんとう》に遅刻《ちこく》しちゃいます!!
敦賀さんの輝かしい記録にも醜い黒星が!!
無遅刻
ん———…
おじさんプロでしょう!?
プロなら根性《こんじょう》でなんとかしてよー!!
…こらこら
そんな難題《なんだい》をふっかけて運転手《うんてんしゅ》さんを困《こま》らせない様《よう》に
まわりの車をはじくとか飛ばすとか粉砕するとか
酔っぱらいか君は
そんな無茶《むちゃ》な
なんて恐ろしい事を!!
ひいっ
ガクガクガク
地下鉄使《ちかてつつか》った方《ほう》が早《はや》いのかな…
ち…!?

地下鉄《ちかてつ》ですって!?
敦賀さんが!?
ダメよ!!
何を考えてるの!!
ますます動《うご》けなくなる事《こと》請《う》け合《あ》いじゃない!!
ぎゃあああああ
蓮ーーっ
蓮よーっ
さわれー!!
つかめー!!
死んでも放すなーー!!
ドーーンッ
あうっ
…この人《ひと》…っ本当《ほんとう》にちゃんと自分《じぶん》の立場《たちば》自覚《じかく》してるのかしら…!!
運転手《うんてんしゅ》さんとりあえずここでいいです
あ、はいはいちょっと待ってね
カチャ
パパラパラパラリラ〜
ゴッドファーザーのテーマ
パラパラパラリラ〜
ヂャ〜〜ッ
〜♪
!
はい
じゃあこれおつりね
チャラ
どうも
コッセン
…あれ?
にやり…
ひゅう〜
るるるるぃん……
敦賀《つるが》さん!!
キイッ
バタン

早《はや》く!!
乗《の》って
下《くだ》さい!!
…
…って…
どうしたの
その自転車《じてんしゃ》
いや…デザインの事じゃなく……
親切《しんせつ》な人《ひと》が
貸《か》してくれ
ました!!
ザワ
ザワ
大丈夫か
この子がさっきからこんなうわ言を…
あ…悪霊《あくりょう》がっ いきなり
複数《ふくすう》の悪霊《あくりょう》が 俺《おれ》の
自転車《マシン》にまきついてきて
あああああ
おおおおお
どうやら霊感少年
悪霊共《あくりょうども》の
親玉《おやだま》が自転車《マシン》
貸《か》さねーと一生《いっしょう》
呪《のろ》うって
魔王の形相で…
そして悪霊共の親玉
…まさか
君が俺をのせて!?
コ・レ・で行《い》く
って…!?
どんな
間《ま》に合《あ》う
わけが
間《ま》に
合《あ》わせ
ます!!
どんな手を使っても!!
根性《こんじょう》で!!

これは『仕事《しごと》』なんですから
なにがなんでも『時間《じかん》』には入《はい》らないといけないんです!!
もはや幼少の頃よりつちかわれてきた『仕事』に対する強迫観念
ゴオオオオッ
私《わたし》っ敦賀《つるが》さんの輝《かがや》かしい記録《きろく》はプロの証明《しょうめい》だと思《おも》いますっ
だから
その記録っ
今《いま》はマネージャーの
この私《わたし》が
守《まも》ってみせます!!
ミふ…
…参《まい》ったな――……
…本当《ほんとう》に?
もちろんです!!
もし これで

本当《ほんとう》に間《ま》に合《あ》つたら
え!?
ちょっとなに!? 今《いま》のなに!?
え?
ハデなピンクツナギの後《うし》ろに乗ってたの!!
ツャアアアアアアアアッ
え!?
なに!?
今《いま》の
まさか
まさか
パラパラ パラパリラ～
ツャアアアアアアアアアアッ
あっ
あっ
あ
あ
パラララパラ パラパリラ～
よしっ 人ゴミ抜けたっ
ふんふんふんふん
ああああああああ
きゃあああああ
蓮だ――っ
うそ――!!
蓮が変なチャリンコで爆走してる――!!
本物――!?
蓮――!!
きゃああああっ
ドドドドドドド
ツャアアアアアア
うおおおおお
…なんか…
どんどん増《ふ》えてきたけど
大丈夫《だいじょうぶ》!! 絶対《ぜったい》まいてみせます!!
…本当《ほんとう》に?
――本当《ほんとう》に間《ま》に合《あ》つたら
もちろんです!!
もう
まかせて下《くだ》さい!!
ここからが本番!!

出《だ》さなきゃ
しょうがないよな
100点《てん》だ
よし
まかせた。
了解《ラジャ》——!!

ACT.36 魅惑のサクセスロード／おわり

A
LOVE ME LOVE ME
A

A
LOVE ME LOVE ME
A

スキップ・ビート!
ACT.37 軋《きし》む歯車《はぐるま》

J
POCHI POCHI

J
POCHI POCHI

──その瞬間《しゅんかん》
まるでおとぎ話《ばなし》の中《なか》で起《お》こる様《よう》な〃呪《のろ》いから解《と》けた〃衝撃《しょうげき》を
私《わたし》は
生《う》まれて初《はじ》めて味《あじ》わった気《き》がした──…
──…今《いま》の君《きみ》を見《み》ているとまるで
全教科《ぜんきょうか》100点《てん》でも取《と》らなきゃいけないみたいだ──…
まるで重《おも》い鎧《よろい》が脱《ぬ》げたみたいに
ほんの
何気《なにげ》ないあの人《ひと》の言葉《ことば》は
私《わたし》の心《こころ》を軽《かる》くした

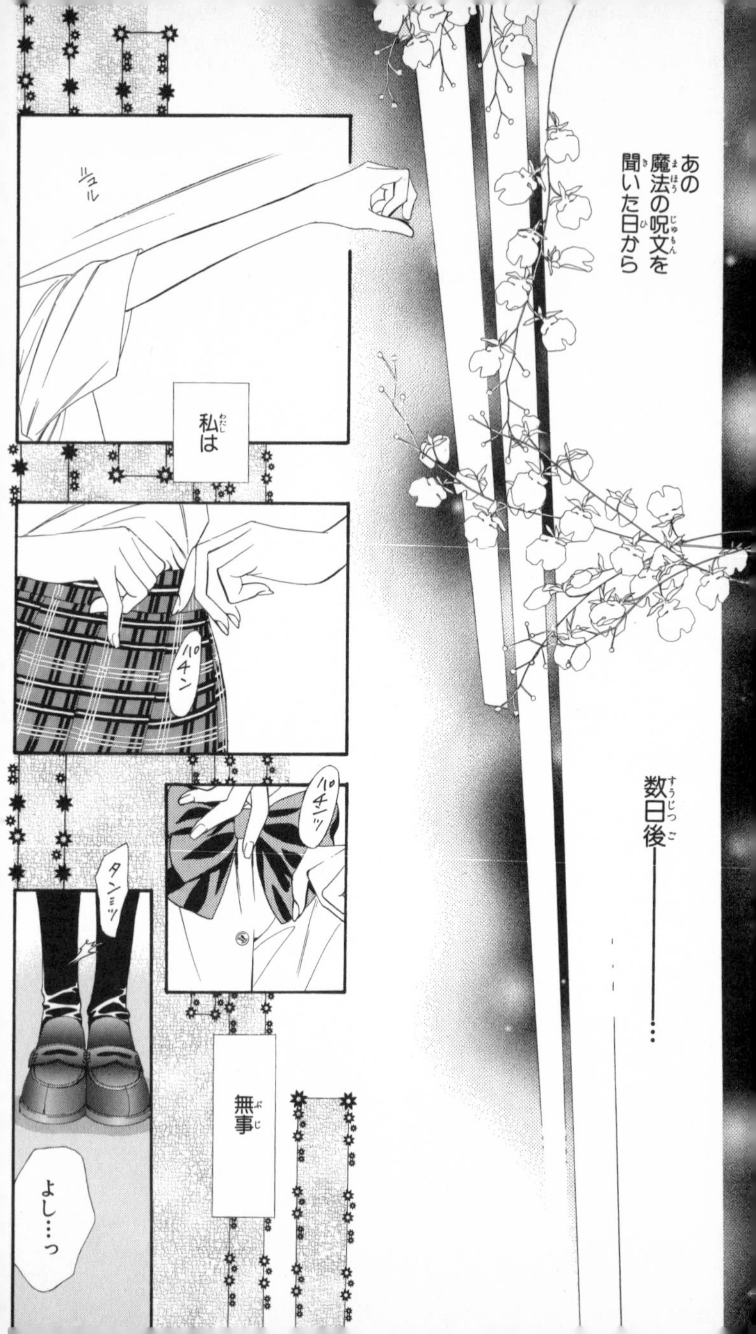
あの
魔法《まほう》の呪文《じゅもん》を
聞《き》いた日《ひ》から
数日後《すうじつご》――――……
シュル
私《わたし》は
パチン
パチンッ
無事《ぶじ》
タンッ
よし…っ

完了《かんりょう》!!
ピシッ
高校編入試験《こうこうへんにゅうしけん》を
クリアして
うふふふ～
くりくり
憧《あこが》れの
それでは
大将《たいしょう》!!
おかみさん!!
今日《きょう》も
行《い》って参《まい》り
ます♡
ペコリ
はい
行《い》って
らっしゃい
気をつけるんだよ

女子《じょし》高生《こうせい》ライフを満喫《まんきつ》してます!!
♪るんるるるるるん♪
わ・た・し ふつ〜うの〜 女子高〜お〜 せ〜〜♪
シャカ シャカ シャカ
……ただし――
リーン… ゴーン…
ミリーン… ゴーン…
PM 12:30
…
ザワ ザワ ザワ ザワ…ああ
忙《いそが》しい 忙《いそが》しい
トントンッ
実《じつ》は 俺《おれ》 今日《きょう》はもう ここまでしか いられなくてさ
ふう…
おや 奇遇《きぐう》だな 実《じつ》は俺《おれ》もさ
ザワ ザワ
ガタ ガタ
…

…このクラスじゃなきゃね———…
芸能クラス
いやー お互《たが》い辛《つら》いな 勤労学生《きんろうがくせい》は
もうヘロヘロさ
いや まったく
あはははははは
実《じつ》は 私《わたし》ィ 明日《あした》から地方《ちほう》ロケで しばらく休《やす》むのよね〜
疲れちゃう
わかるわ〜〜
私《わたし》も来週《らいしゅう》から全国《ぜんこく》ツアー始《はじ》まっちゃうもの〜〜〜
もう死んじゃう
…いつ聞《き》いても思《おも》うけど…
なんだか不健康自慢《ふけんこうじまん》し合《あ》うサラリーマンみたい……
コン☆
さって
このクラスメイトのほとんどは そこそこに忙《いそが》しい人達《ひとたち》らしく
この学校《がっこう》へ通《かよ》わせてもらう様《よう》になって早幾月《はやいくつき》
お楽《たの》しみのお弁当《べんとう》お弁当《べんとう》♡
らんらんらん
朝食をキョーコが作るかわりに残りものをつめさせてもらってる
…私《わたし》は名前《なまえ》聞《き》いてもわからない人《ひと》 多《おお》いけど
昔《むかし》からショータローがライバル視《し》してる人《ひと》しか 覚《おぼ》える気《き》なかったしなぁ
よって現在はさらに芸能人に興味無し。
実《じつ》は まだ私《わたし》の存在《そんざい》に気《き》づいていない人《ひと》も中《なか》には居《い》るんじゃないかと本気《ほんき》で思《おも》う———。
…

あら最上《もがみ》さんお暇《ひま》そうね
ピクッ
──まあ
今日《きょう》も何《なん》のお仕事《しごと》も入《はい》ってないの？
クス
ええ～～～……まぁ…
うふふ
一部《いちぶ》の人《ひと》を除《のぞ》いては────…
七倉美森《なのくらみもり》⑮
只今売《ただいまう》り出《だ》し中《ちゅう》の新人《しんじん》アイドル
…え…
ウソだけど。『きまぐれロック』の収録入《しゅうろくはい》ってるわ
でも絶対《ぜったい》バカにするから教《おし》えない
ウソウソ
じゃあ今日《きょう》も丸一日授業《まるいちにちじゅぎょう》を受《う》ける事《こと》に？
…ええ…まぁ…
今日は夕方から「入り」なのよ
は～～ん
お気《き》の毒《どく》～～～～

この芸能《げいのう》クラスに居《い》ながら丸一日《まるいちにち》まともに授業《じゅぎょう》を受《う》けられる日《ひ》が続《つづ》くなんて
この人《ひと》は
何故《なぜ》か 私《わたし》がこのクラスへ入《はい》った当初《とうしょ》から私《わたし》に何《なに》かと絡《から》んでくる
とてつもなく肩身《かたみ》せまいでしょ〜〜〜〜〜？
別《べつ》にこんなの子供《こども》の頃《ころ》から日常《にちじょう》だったし
…いいえ？
私《わたし》は
全然《ぜんぜん》？
痛《いた》くもかゆくもないけどね
…!!
いた〜だきぃます♡
し…信《しん》じられない!!私《わたし》だったら耐《た》えられなくて普通科《ふつうか》クラスに変《か》えてもらうわよ!!
あなたってなんて ず太《ぶと》い神経《しんけい》してるの!?
…あぁ…

そのくらいじゃなきゃ 平気《へいき》でいられないわよね～～～～～
事務所《じむしょ》に獲《と》ってもらった仕事《しごと》を さも実力《じつりょく》で手《て》に入《い》れた様《よう》な顔《かお》してさあ
ピクッ
どういう意味《いみ》…？
…あ
いっけなーい
仕事《しごと》仕事《しごと》お
タタタタ～
早く行かないとマネージャーに怒られちゃーう
……
…な…

なんなのよ…!!
あの女《ヒト》〜〜〜〜!!
ブオオオオ
ププーーッ
パパプー
…なんか
ホンット
中《ちゅ》〜途半端《とはんぱ》にヤな感《かん》じなんだから!!
私《わたし》の事《こと》が 気《き》に入《い》らないなら気《き》に入《い》らない様《よう》にもっとイヤミにもパンチをきかせてくれないかしら!!
それをヤワヤワとなでるように!!
気持《きも》ち悪《わる》いのよね!!
あームシャクシャする
明日《あした》モー子《こ》さんに会《あ》ったら聞《き》いてもらお!!
只今学校帰り
仕事へ向かい中
シャシャーーッ
…あ…!?
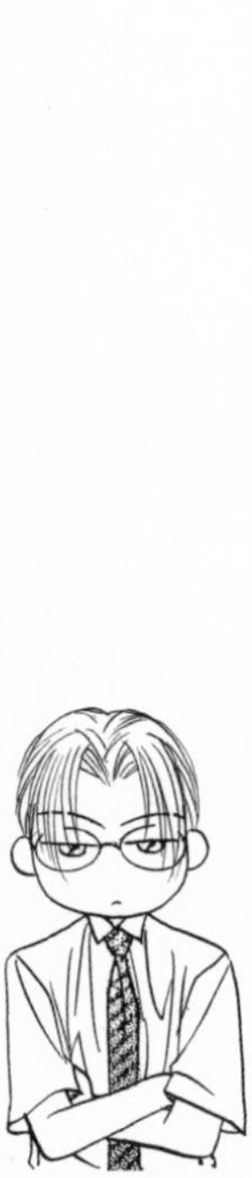

…あ…!!
モー子《こ》さん!!

かあぁっ
……
――…と
私《わたし》――――…

ひいいいいいい!!
どひゃあああっ
あああああ
ダメダメダメ
ダメ〜〜〜〜
何度《なんど》見《み》ても
恥《は》ずかしい
〜〜〜〜〜!!
正視できないいいいっ
TVに映《うつ》る事《こと》が
こうもテレくさい
なんて…!!
カインドのCMって
毎回《まいかい》よくできてる
よね〜〜〜〜
カインドー
ドリンコのこと
とうぞう
画像《がぞう》が
すっごい綺麗《きれい》
なんだよね
ザワ
ザワ
ザワ
ザワ
使《つか》ってる子《こ》も
いつも
可愛《かわい》いしさ
ヒー
ヒー
あ
キュララの
CM〜〜
ロングバージョンだ
どきゅっ!!
!!
実《じつ》は 私《わたし》 今回《こんかい》の
CMは髪《かみ》の長《なが》い子《こ》の
方《ほう》好《この》みだったり
して
ぴょこ
なかなか
綺麗《きれい》な子《こ》
だもんね〜〜〜
ああわかる
こくこく
ほくほく
じゃ 短髪《ショート》の
子《こ》は?
ギク!!
ん〜〜〜
どっちでもいい
普通《ふつう》だし
ガッシャンッ
あ〜
そうね〜〜〜
別《べつ》に可愛《かわい》く
ないわけじゃ
ないけど

芸能人《げいのうじん》としての華《はな》は無《な》いもんね～～～
なんかその辺にポッといそう～
……
……
……そう…
ふる ふる
ガク ガク
実《じつ》は
ふる ふる
少《すこ》し前《まえ》から私《わたし》とモー子《こ》さんが根性《こんじょう》でもぎ獲《と》ったCMが流《なが》れ始《はじ》めたのですが
ふいに耳《みみ》に入《はい》る世間《せけん》のコメントは大体右《だいたいみぎ》の通《とお》り…
私ほめてくれるなんて知り合いばかり
そりゃ
他人《ひと》に言《い》われるまでもなく自分《じぶん》でよくわかってるわよ？
芸能人《げいのうじん》として私《わたし》にはモー子《こ》さん程《ほど》の
才能《さいのう》も無《な》ければ美人《びじん》さんでもない事《こと》くらい
私《わたし》!!その言葉《ことば》を聞《き》くと無性《むしょう》に腹《はら》が立《た》つのよ――――!!
ぬぬ ぬぬ
ガツ ガツ ガツ ガツ ガツ ガツ ガツ
ああああ!!
だけど…!!
『芸能人《げいのうじん》としての華《はな》は無《な》いもんね～～～』

この世の総ての人間《にんげん》が ショータローの手先《てさき》に思《おも》えてならない〜〜〜〜!!!
どうせ私は地味で色気のない女よ〜〜!!
ゴゴゴゴオオオオオ
ヒュルルル〜
うおのおれええショ〜タ〜ロオオオオ
ビョロロロロロ
クスクスクス
今《いま》すぐ あんたの鼻《はな》を明《あ》かしてやりたい〜〜〜!!
ブブブブ
ぶぶぶぶぶぶぶ
うあぁ!!
なっ何だ!!
あっ悪霊《あくりょう》でも憑依《ひょうい》したのか!?
で…っ電話《でんわ》…!!
ぶぶぶぶぶ
なんだ違ったのか
なんてまぎらわしい少女だ
ゴソゴソ
…モー子さんかな 椹《さわら》さんかな

非通知《ひつうち》
ピ
蓮の代マネ以来
事務所に持たされてるケータイ
椹《さわら》さんだ
事務所は通常→
非通知
もしもし?
──…やあ
相変《あいか》わらず遅《おそ》いな
電話《でんわ》に出《で》るの
まだ慣《な》れない?
携帯《けいたい》
クスクス
──え
ええええええええ!?
ちょ…つ
こ…つ
この声《こえ》…つ
この口調!!
まままま
まさか…!!
それから

一応《いちおう》 仮《かり》にも
テレビに顔《かお》が出《で》る
様《よう》になった「芸能人《げいのうじん》」が
そんな怖《こわ》い形相《ぎょうそう》で
歩《ある》くもんじゃないよ
!?
え…!?
いや
違《ちが》うな
キョロ キョロ
もしかしてどこかから見《み》てるの…!?
『芸能人《げいのうじん》』の前《まえ》に
女《おんな》の子《こ》なんだから
え!? どこどこ!?
ザワ ザワ ザワ ザワ
ぐるぐる ぐるぐる
そんな怖《こわ》い顔《かお》して
歩《ある》くもんじゃないよ
が正《ただ》しい
かな
おーい キョーコちゃーん 久しぶりーーっ
あ!!

いた――!!
敦賀《つるが》さん――!!

やあ キョーコちゃん おめでとう
いよいよ CMデビューしちゃったね
すっごくいい CMだよっ
キョーコちゃん すごく可愛《かわ》いかったっ
…それは どうも……
ずおおん…
…そう ですか
…
…あれ …？
なんで 空気《くうき》が 重《おも》いの かな…？
…知《し》り合《あ》いは みんな そう 言《い》うのよ
ぬ〜ん
…
あの…
…そんな事《こと》より 敦賀《つるが》さん…
…そんな事《こと》ってっ 記念《きねん》すべき デビューCMを つかまえて…っ
敦賀《つるが》さん
どうして私《わたし》の 携帯《けいたい》 ナンバー…
ああ
実《じつ》は だいぶ 前《まえ》に連絡《れんらく》を 取《と》りたくて 椹《さわら》さんに聞《き》いて たんだよ
…は…？
連絡《れんらく》…？
…て 私《わたし》ですか？
そうだよ

な…っ
なんで
…!?
けど俺《おれ》の方《ほう》の
時間《じかん》が空《あ》かなくてね
なかなか
チャンスが
なかったんだ
どうして
……?
でも今日《きょう》
ちょうどここで
会《あ》えそうだって
椹《さわら》さんが情報《じょうほう》
くれたから
ええ!?
椹《さわら》さん!!
まさか私《わたし》が
『坊《ぼう》』だって事《こと》を
敦賀《つるが》さんに
――!!
カ～レは知らない知られちゃいけ～ない～
坊ぉの中身が
ダ～レ～なの～か～
ラブミー部《ぶ》の
仕事《しごと》だって聞《き》いた
けど
やっぱり
ツナギは
着《き》てないんだな
…っ
は…
あっ
いえ…その
今日はたまたま
……
学校から
直接来た
ものでっ
…あれ…
ち…違《ちが》った
……
ちゃんと内緒《ないしょ》にしてくれたんだ
椹《さわら》さん――…
そりゃ君の恨みを
買うとどんな報復が
返って来るか
わからんからな。

でも まあ
俺《おれ》も一度《いちど》は見《み》ておきたかったから ちょうど良《よ》かった
君《きみ》の制服《せいふく》姿《すがた》
は？
その制服《せいふく》…
よく似合《にあ》ってるよ
そういえば社長《しゃちょう》から聞《き》いたけど
編入試験《へんにゅうしけん》オール満点《まんてん》でクリアしたんだって？
どうも……
かあああぁ
それはこここ……
……
ええ⁉
ほ…っ本当《ほんとう》に⁉
ウソ‼
スゴイ‼ それはスゴイよ キョーコちゃん‼
よく がんばったね
い…いいえ
そんな… 本当に基本問題だけだったから…
…それで…あの…その事《こと》で私《わたし》は敦賀《つるが》さんに感謝《かんしゃ》を…
ずっと

どんなに努力《どりょく》しても高《たか》くて遠《とお》かった100点《てん》が
全身《ぜんしん》から余計《よけい》な力《ちから》が抜《ぬ》けた途端《とたん》
急《きゅう》に手《て》に届《とど》くようになってしまった
──まるで
全教科《ぜんきょうか》100点《てん》でも取《と》らないといけないみたいだ──…
きっとあの呪文《ことば》のせい
敦賀《つるが》さんには何気《なにげ》ない言葉《ことば》だったかもしれないけど…
私《わたし》をプレッシャーから解放《かいほう》してくれたんです……
あの呪文《ことば》で
本当《ほんとう》に
…
…
ありがとうございました
ペコッ
私《わたし》は
空《そら》も飛《と》べるほど
身軽《みがる》になれたの──…

……
……
ちら
はっ
…!!
…おれ《れい》なら
俺《おれ》の方《ほう》にもあるんだけどな
……蓮《れん》――――
…!!?

…は
…？
それが今日《きょう》
会《あ》いたかった理由《りゆう》
…は……？
私《わたし》っ敦賀《つるが》さんの輝《かがや》かしい記録《きろく》はプロの証明《しょうめい》だと思《おも》いますっ
だから
その記録っ
今《いま》はマネージャーの
この私《わたし》が
守《まも》ってみせます!!
──あの日《ひ》
宣言通《せんげんどお》りに俺《おれ》の記録《きろく》を守《まも》ってくれただろ？
喜んでる
すべり込みセーフ
そして現在も敦賀蓮無遅刻記録絶賛更新中。
だからお礼《れい》をしようと思《おも》ってたのに
俺《おれ》が仕事《しごと》してる間《あいだ》に君《きみ》はさっさと社《やしろ》さんと二人《ふたり》だけでマネージャーのひき継《つ》ぎ済《す》ませてて
ううう…
もうはやこれまで…
あ…後の事を……
ああっ たしかに!!
タッチ
燃えカス
灰
この日、復帰する社と現場でおち合う事に
俺《おれ》が気《き》づいた時《とき》には君《きみ》の姿《すがた》はもうどこにも無《な》かったんだ

だから
やむを得《え》ず
こんな時間差《じかんさ》に
なってしまった
…悪《わる》かったね…
…いいえ…っ
…
何故か
謝られ
てるのに
責められ
てる気が
する……
……
スタンプ帳
…あの日は確《たし》か お昼《ひる》から
『きまぐれ』の収録《しゅうろく》が入《はい》ってて
あせってたのよね…
うう…
こんなので…
お礼《れい》スタンプ
くれるって…
一体何点《いったいなんてん》
だろ…
怖いな…
10点《てん》かな
20点《てん》かな…
…ううん…
たとえ何点《なんてん》
だったにせよ
……
ポク
代理マネージャーの
仕事
…私《わたし》…
敦賀《つるが》さんに
お礼《れい》のスタンプ
もらえるなんて
思《おも》いませんでした
……

だって私《わたし》
敦賀《つるが》さんに感謝《かんしゃ》される様《よう》な事《こと》したつもりないんだもの…
もじもじ
敦賀《つるが》さんの看病《かんびょう》の事《こと》もお食事《しょくじ》の事《こと》や記録死守《きろくししゅ》の事《こと》も
敦賀《つるが》さんのマネージャーとして当然《とうぜん》の事《こと》をしただけで……
え〜？ 普通《ふつう》代《だい》マネでそこまでできないよ〜
特に記録死守とか
それに私《わたし》 お仕事《しごと》休《やす》まずに風邪治《かぜなお》せる様《よう》にバックアップするって宣言《せんげん》したんです
なのに敦賀《つるが》さんが休《やす》んじゃったら 私《わたし》の仕事《しごと》に落《お》ち度《ど》があった事《こと》になるじゃないですか!!
…え…？
私《わたし》っ そういうの すっごく嫌《いや》なんですよね
サギっぽくて許せない!!
……
あれ…？ そういう事なの…？
でも… それってなんかすごく…
何《なに》かしら相手《あいて》に特別《とくべつ》な感情入《かんじょうはい》ってたら別《べつ》だけど…
…って事《こと》はキョーコちゃんもしかして蓮《れん》の事《こと》…!?
…け…謙虚《けんきょ》だな〜キョーコちゃんは〜…
は…っ
!
え…
ええ!?
ちがいますよっ そんなっ
だってそれがお仕事《しごと》じゃないですかぁ
だから 私《わたし》は自分《じぶん》に課《か》せられた義務《ぎむ》を完璧《かんぺき》に果《は》たせる様《よう》に
自分《じぶん》のやるべき仕事《しごと》を全《まっと》うしただけなんです!!
だからそんな謙虚とかじゃ…っ
すごく自己満足《じこまんぞく》なんじゃ…!!

…最上《もがみ》さん
はいっ
！
…え…？
はい。出来《でき》た
どうぞ
…あれ…？
今《いま》───…
…も…もしかして……
も…
『最上《もがみ》さん』って言《い》った……!?
あ…っ
ありがとうございます!!
…
いいえ
ウソ…!!
今《いま》までずっと『君《きみ》』とかだったのに!!
うわ〜うわ〜〜っ
なんか代《だい》マネして以来《いらい》敦賀《つるが》さん私《わたし》に友好的《ゆうこうてき》に…

ドンッ
100点満点 たいへんよくできました
ドンッ
ー10点 ダメダメです
ドンッ
＝90点という事で
ドンッ
代理マネージャーの仕事にて
敦賀蓮
100点満点 たいへんよくできました
ー10点 ダメダメです
＝90点という事で
パコン
…
…っ
…っ
……
ひく…
…な…
…なんですか？
…これ…
何《なに》って
見《み》ての通《とお》りの90点《てん》だが？
そうじゃなくて!!
一度《いちど》ひや…ひやひや100…っ
100点《てん》って押《お》してあるのに…!!
ああ
それ押《お》し間違《まちが》えちゃったんだ
90点《てん》スタンプあるのに気付《きづ》かなくて
どうして…っなんでマイナス……ッ

ごめんね?
にっこり
キュラララララ
ウソよおおおお――!!
その笑顔《かお》っ 絶対《ぜったい》ウソー!!
だまされないんだから
ひどいっ ひどいわっ 一度《いちど》押《お》したものを変更《へんこう》するなんて
大人《おとな》げないと思《おも》わないんですか!! 敦賀《つるが》さん――!!
だから押《お》し間違《まちが》えたんだってば
君もうたぐり深いな
絶対《ぜったい》途中《とちゅう》で気《き》が変《か》わったんだわ――!!
ステケテケテケ
…
さて 社《やしろ》さん そろそろ時間《じかん》ですね 行《い》きましょう
話《はなし》をそらさないで下《くだ》さいよっ
早《はや》く行《い》った方《ほう》がいいよ
それより君《きみ》も仕事《しごと》なんだろ
――…
スタスタスタ
この−10点分《てんぶん》は 何《なに》が気《き》に入《い》らなかったって言《い》うんですか!!
――…
だから押《お》し間違《まちが》えたんだって言《い》ってるだろう
君もくどいな
絶対《ぜったい》ウソです――!!

プルル～
プルル～
あ～はい その件に関しましては
プルル～
はいLME タレント部です
ザワ
ザワ
ザワ
ザワ
──椹主任《さわらしゅにん》
ん
ふふふふふふ
俺《おれ》 今朝《けさ》TVでキュララのCMを取《と》り上《あ》げてる番組《ばんぐみ》を見《み》ましたよ
ほおっ
歴代《れきだい》CMに負《ま》けず劣《おと》らず絶賛《ぜっさん》されてました
ほほおっ
いや～～なかなか好調《こうちょう》で良《よ》かったですよね～～
主任ホッとしたでしょ～
わかったか…？ なんて言《い》ってもラブミー部員《ぶいん》の二人《ふたり》だからな～～…
ありゃ～
ははは
内心ちょっと不安だったんだ
でも このままいくとひょっとしてどこか よそから仕事《しごと》のオファーが入《はい》ったりするかもですよ!?
そうだな～～
ありゃいいCMだからひょっとして
キャッ
キャッ
しゅ…っ 主任《しゅにん》──っ

外線《がいせん》3番《ばん》お電話《でんわ》です!!
お
クィーンレコードのアサミさんという方《かた》なんですが
クィーンレコード？
レコード会社《がいしゃ》がタレント部《ぶ》に用《よう》なのか？
あぁ〜〜〜…
いえ キュララのCMを見《み》て あの二人《ふたり》を使《つか》ってみたいって言《い》ってるんで……
あの二人《ふたり》ラブミー部員《ぶいん》だから多分《たぶん》こっちへ回《まわ》されたんじゃないかと
主任《しゅにん》!!
本当にきちゃった!!オファーですよ!!
…
あの二人《ふたり》を……？
何《なに》に使《つか》いたいって？
あ…
えと
新曲《しんきょく》のプロモーションビデオらしいですよ
不破《ふわ》 尚《しょう》の
ACT.37 軋む歯車／おわり

スキップ・ビート!
ACT.38 運命《うんめい》のDATE《デート》

――翌日《よくじつ》
PM4:30
…は…？
すみません
…
よく聞《き》きとれませんでした……
…ひゅう～…
…もう一度《いちど》
お願《ねが》いできますか……？

…い…いや…
だから…
…あれ…？
期待してた反応と違う…
君《きみ》と琴南《ことなみ》さんにオファーがあったって……
君達《きみたち》のCMを見て是非《ぜひ》使《つか》ってみたいって
使って
ぬぬぬぬぬぬ
人《ひと》をモノみたいに……
みたい…？！
むこうのプロデューサーが…
…そのお話《はなし》…
お断《ことわ》りさせていただきます…!!
えっ
なんで？
だって君《きみ》
不破《ふわ》 尚《しょう》のプロモだよ？
生不破《なまふわ》に会《あ》えるんだよ？
君おっかけじゃなかったの？
それに
不破程《ふわほど》のミュージシャンのプロモに出《だ》してもらえれば
出して
ぴくっ
もらえる…？！
絶対知名度《ぜったいちめいど》が一気《いっき》に上《あ》が
そ…

それが一番《いちばん》嫌《いや》なんです──!!
ド憤慨
ビュルルルルルルル
のおー!!
パリーン
きゃあー!?
何事!?
窓ガラスが勝手に!!
冗談《じょうだん》じゃないわ!!
バァン!!
なんで私《わたし》がアイツのプロモに出《だ》してもらわなきゃ・いけないわけ!?
頼んでないって───の!!
どんなに売《う》れたくたって アイツを飾《かざ》りたてるお花《はな》になるなんてまっぴら御免《ごめん》よ!!
なんとラブミーユニフォームにショートバージョンが!!
最上
それに私《わたし》は

アイツと同《おな》じ位置《ランク》か
上位《じょうい》に登《のぼ》りつめてから
アイツの目《め》の前《まえ》に出《で》て
いきたいのよ!!
じゃないと
えらそーに名乗れ
ないじゃない!!
CMデビューした
くらいの私《わたし》には
まだ早《はや》すぎる!!
ガチャ
あ
モー子《こ》さんっ
おはよー
↑夕方だけど
業界用語
スーー…
ーーー…
ねーねー
モー子《こ》さんっ
松島主任《まつしましゅにん》から
プロモの話聞《はなしき》いた!?
不破尚のーー!!
コツ コツ
のろのろ…
モー子《こ》さんどう
するつもり?
まさか受《う》ける
気《き》じゃない
よね!?
…
うろうろ
カチャン

ミトスン…
…
ほよ――。。
…モー子《こ》さん…?
どうしたの……?
…仕事《しごと》…
ポソ…
…え?
仕事《しごと》もらっちゃった……
ドラマの……
ええええ~~~~!?

ウツ――!!!
本当《ほんとう》に!? モー子《こ》さん!!!
スゴ――イ!!!! 早速女優デビュー!!?
そ…っ そんな大《おお》きな役《やく》じゃないのよ!!
2時間《じかん》ドラマだし…っ
でもなんか キュララのCM見《み》て
私《わたし》がイメージに合《あ》うからって
脚本家《きゃくほんか》の一存《いちぞん》で 元々《もともと》決《き》まってた子《こ》を 降《お》ろして私《わたし》に決め ちゃったんだって
…!!
…す…すごい… サバイバル~~~……
ふあ~~……
本当にあるんだ そんな事……
こわい世界ね~~……
降《お》ろされた方《ほう》も 新人《しんじん》だったらしいから とりつくシマも なかったみたい
きっと所属《しょぞく》してる 事務所《じむしょ》も小《ちい》さな トコだったん だろうって
松島主任が

うあ〜〜〜……
やっぱりいざって時は事務所《じむしょ》の力《ちから》って大《おお》きいんだ〜〜〜〜〜〜……
良《よ》かった〜意地《いじ》でもLMEにしといて〜〜〜……
…私《わたし》…
他人《たにん》の役《やく》を奪《うば》ったからって悪《わる》いなんて思《おも》ってないわよ……
だって
私《わたし》は
お芝居《しばい》がしたいの
一日中《いちにちじゅう》お芝居漬《しばいづ》けになって
お芝居《しばい》だけで暮《く》らしていける すごい女優《じょゆう》になりたいの
だからそのためには
誰《だれ》かを踏《ふ》み台《だい》にする事《こと》だって厭《いと》わないわ

『踏《ふ》み台《だい》』
……
私《わたし》
──だから
不破《ふわ》 尚《しょう》のプロモの話《はなし》は断《ことわ》ってもらう事《こと》にしたわ
…そうだ…
だって そのドラマ来週《らいしゅう》には撮影《さつえい》に入《はい》るっていうんだもん
私《わたし》
アイツに踏《ふ》み台《だい》にされたんだ──……
私《わたし》 ドラマの方《ほう》に集中《しゅうちゅう》したいのよね
つまんない仕事《しごと》に時間《じかん》も気力《きりょく》も使《つか》いたくないし
だったら
あの仕事《しごと》ってあんたと私《わたし》の2人《り》セットじゃなきゃどうしてもダメなのかなあ
あんたどうするつもりなの？
今度《こんど》は

私《わたし》がアイツを踏《ふ》み台《だい》にしてやるべきじゃないの――!?
やる――!!
私《わたし》なにがなんでもこの仕事《しごと》やるわ――!!
ふんぬぉおおおおおお
『不破程《ふわほど》のミュージシャンのプロモに出《だ》してもらえれば』
違《ちが》う…!!
――…でっしょうねェ
わかっちゃいたけど聞いてみただけ
イヤだわ この燃《も》えっぷり…本当《ほんとう》に恥《は》ずかしいくらい不破《ふわ》信者《しんじゃ》なんだから
出《だ》してもらうんじゃないわ
私《わたし》の名前《なまえ》を売《う》るためにアイツのプロモを利用《りよう》するのよ!!

私《わたし》はショータローを引《ひ》き立てる花《はな》になんか絶対《ぜったい》ならない!!
アイツのプロモでアイツと対等《たいとう》に目立《めだ》ってやる!!
カチャ
二人《ふたり》セットでなくてもいいって
!!
見《み》てなさい!!
やった―やった――!!
良かった――!!
キャーキャー
ひゃっほれ
小踊りりんご
ほら～～やっぱり嬉《うれ》しいんじゃないか意地《いじ》はっちゃって最上《もがみ》さん
そうとう この反応
今度《こんど》はあんたが私《わたし》の役《やく》に立《た》つ番《ばん》よ!!
ショータロー――――!!
ほほほほ ほほほ
あぁぁ～
た♡の♡し♡み
ヒラララ りらくる クルリらん☆
養成所で習ったバレエ
こんなに喜んで……
ああ……
やっぱり不破のおっかけなんだな～～～～…

クィーンレコード本社《ほんしゃ》
ピッ
きゅるるるるる
どうせ君《きみ》の事《こと》だから一度《いちど》もまともにTVで見《み》た事《こと》ないんでしょう
その子達《こたち》よ今《いま》ちょっとCMで話題《わだい》になってるの
あら正《ただ》しくはCMがかしら
ピーッ
あら
ピ
感心感心《かんしんかんしん》ちゃんと見《み》てたのね
コツ コツ

…こっちが『キョーコ』だって言《い》ったよな…
…
そうよ
東京《とうきょう》の『京《きょう》』に子供《こども》の『子《こ》』で『京子《きょうこ》』
なあに？
その子《こ》気《き》に入《い》った？
クスクス
君《きみ》にしては珍《めずら》しいタイプじゃない？
本名《ほんみょう》まで京子《きょうこ》かどうかは知《し》らないけどね

——…別《べつ》に…
クス
ま
長髪《ロング》の子《こ》が気《き》になるよりはいいけどね

長髪《ロング》の子《こ》
今回《こんかい》の話《はなし》
さっき断《ことわ》って
来《き》たから
あぁ!?
断《ことわ》って来《き》たぁ!?
なんだとりゃ!!
この俺《おれ》の
プロモだぜ!?
その女頭悪《おんなあたまわり》ィんじゃ
ねーの!?
ごめん
なさい
私《わたし》の人選《じんせん》
ミスね
どっちかっていうと
私個人的《わたしこじんてき》には
本当《ほんとう》は長髪《ロング》の
子《こ》の方《ほう》に興味《きょうみ》
あったんだけど
二人《ふたり》セットじゃなきゃ
意味《いみ》がないからって
短髪《ショート》の子《こ》の方《ほう》まで
断《ことわ》る勇気《ゆうき》が私《わたし》には
なかったのよ…
こっちからオファー出しといて……
だってクイーンレコードに
とって LMEは
アカトキに並《なら》ぶ
怒《おこ》らせると怖《こわ》い
取《と》り引《ひ》き先《さき》…
あまつさえ あの二人《ふたり》が
宝田社長《たからだしゃちょう》の秘蔵《ひぞ》っ子《こ》
だっていうんだから…
もっと早《はや》く
気《き》づいてたら
オファーも
考《かんが》えたのに
……
…でも そうなると
麻生《あさみ》さん 急《いそ》いで別《べつ》の
子《こ》を探《さが》さないといけま
せんね
そうね〜〜〜
…
アテなら
俺《おれ》あるけど
〜〜〜〜

あらっ本当《ほんとう》に？
ミルキちゃんが気《き》に入《い》るかどうかは謎《なぞ》だけど〜〜〜
いいわよ
一応《いちおう》聞《き》かせてよあたってみるから
祥子《しょうこ》さんも知《し》ってるから祥子《しょうこ》さんに聞《き》いてよ
祥子さん『ポチリ』
はいはいも〜〜
ポチリちゃんね
———……
——『京子』
…これだけ見《み》ると似《に》てない事《こと》もない気《き》はするが———…
本当《ほんとう》にアイツか……？
髪型《かみがた》と色《いろ》だけで女《おんな》ってこんなに変《か》わるもんなのか？
もしコレがそうなら俺《おれ》どこで会《あ》ったって気《き》づかねーぞ
元のアイツと違いすぎる……
それに本当《ほんとう》にアイツだったら俺《おれ》の仕事《しごと》なんて受《う》けねーんじゃ…

『復讐《ふくしゅう》』か――……
ムニッ
面白《おもしれ》え～～～～
にやり
単独敵陣《たんどくてきじん》に乗《の》り込《こ》んで来《き》て 何《なに》が出来《でき》るか やってみろや
……
……
プロモの撮影《さつえい》が終《お》わる頃《ころ》には どうあがいても
俺《おれ》には傷一《きずひと》つつけられねーんだって思《おも》い知《し》らせてやるからよ
ぶはははは
そりゃいいや!! アイツの悔《くや》しがる顔《かお》が今《いま》から目《め》に浮《う》かぶぜ――!!
本性
しかしイメージダウンも甚だしいので決してコレだけは表に出さない
どっひゃひゃひゃ
ゴロゴロゴロ
ひくひく
ぷるぷる
……
……
…あんなに見入《みい》って…イヤだわ…あの子本当《こほんとう》にあの短髪《ショート》の子《こ》が気《き》に入《い》ったのかしら……
……
楽《たの》しみだなぁ――……

早《はや》く来《こ》いよ
キョーコ!!
ぱんっ

AM 12:30
…よし…!!
プロモーションビデオ撮影日前夜《さつえいびぜんや》
武装《ぶそう》というならやっぱりこうちね!!
仕事以外《しごといがい》でもアイツと張《は》り合《あ》うならなおさら!!中途半端《ちゅうとはんぱ》はいけないわ!!
ちょっと前《まえ》の私《わたし》なら迷《まよ》わず制服《せいふく》にするとこだったでしょうに
慣れって怖い…
ヒソヒソ
…キョーコちゃん…お店《みせ》の片《かた》づけ終《お》わらせて何《なに》してるのかと思《おも》えば
一人《ひとり》ファッションショーしてるよ…
あれじゃまるでデート前日《ぜんじつ》の女《おんな》の子《こ》だね
そ…
…っ
私《わたし》は
今回必《こんかいかなら》ずアイツと対等《たいとう》に目立《めだ》ってみせる
その目的《もくてき》のためには

アイツが指《ゆび》さして
バカにしようが
腹《はら》よじって笑《わら》おうが
構《かま》うもんですか!!
チュン チュン
もう一度《いちど》
ザワ ザワ
この呪《のろ》いの
ラブミーツナギを
着《き》た私《わたし》を見《み》て
ブオオオオ
ブオオオオオ
ザワ ザワ
『地味で
色気《いろけ》のねー女《おんな》』と
ズン ズン ズン ズン ズンズ
QUEEN RECORD
どよ…
……
おお…
なんだ あれ…
言《い》えるもんなら
言《い》ってみな!!
ズ
ズ

おはようございます
不破尚《ふわしょう》のプロモーションビデオのお仕事《しごと》をいただいてLMEから参《まい》りました
…
…
『京子《きょうこ》』と申《もう》しますが
AM 10:00
プロモーションビデオ撮影日《さつえいび》
総合《そうごう》プロデューサーの麻生《あさみ》さんはいらっしゃいますか………？
くすくすくす
ひゅうおおおおおおおー
くすくすくす
くすくすくす
ドーン
—当《とう》日《じつ》—

ゴォォォォォ
60
羽田空港《はねだくうこう》
ブロロロロ
ブォォォォ
ザワ
ザワ
ザワ
ザワ
…あ
キョーコちゃんだ
…蓮《れん》…

お前《まえ》キョーコちゃんに連絡《れんらく》した？
地方《ちほう》ロケで一週間程《いっしゅうかんほど》 東京《とうきょう》離《はな》れるってこと
…は？
しませんよ？
何故《なぜ》 俺《おれ》が……？
…何故？
…俺が？
だってお前達《まえたち》…この間《あいだ》ずいぶん仲良《なかよ》くなってたじゃないか
そ〜うですかぁ？いつもと変《か》わらなかったと思《おも》いますけど…
それはもう俺《おれ》がいない間《あいだ》に二人《ふたり》に何《なに》かあったとしか思《おも》えない程《ほど》に!!
いいや変《か》わったね
明《あき》らかに
お前《まえ》のキョーコちゃんを見《み》る目《め》が
優《やさ》しくなった

――……
…そ…そうですか……？
そうだよっ その辺《へん》の女《おんな》の子《こ》が一瞬《いっしゅん》で とろけそうな いつくしむ様《よう》な 目《め》だったよっ
…どんなですか？ それ
き…気付《きづ》かなかったな――……
自分《じぶん》がそんな目《め》であの子《こ》を見《み》てたなんて…
そりゃ 確《たし》かに…あの子《こ》への誤解《ごかい》が解《と》けて
あの子《こ》の見方《みかた》が変《か》わったのは確《たし》かだけど――……
おーい 敦賀君《つるがくん》――っ 早《はや》く――っ
ぞろ ぞろ
あ
搭乗始《とうじょうはじ》まったみたいですね
行きましょう バスに置いてかれる
俺《おれ》は 自分《じぶん》が思《おも》ってた 以上《いじょう》に
蓮《れん》？
あの子《こ》の演技《えんぎ》の 勉強《べんきょう》と
不破《ふわ》が関係《かんけい》なかった事《こと》に
俺《おれ》まだ訊《き》きたい事《こと》が一個《いっこ》あるんだけど

いいですよ
後《あと》で
いくらでも
安堵《あんど》してた
らしい
やっぱり
芝居《しばい》をされたく
ないんだよな
──────…
『復讐《ふくしゅう》』なんて
目的《もくてき》のために
ザワ
ザワ
ザワ
カッシャン
カッシャン
カッシャン
お気をつけて
行ってらっしゃい
ませー
一度《いちど》しかめぐって来《こ》ない
貴重《きちょう》な
自分《じぶん》の人生《じんせい》の一部《いちぶ》を

『復讐《ふくしゅう》』なんかに
――……
ザワ
ザワ
ザワ
ザワ
ザワ
ザワ
ザワ
ザワ
――いっそ
会《あ》えなければ
いいんだ――……
時間《じかん》をかけて
氷《こおり》が水《みず》になる様《よう》に
会《あ》わずにいるうちに
いつか忘《わす》れて
しまえるまで
もうずっと

ゴ''ン''ッ
遅《おそ》い!!
一体《いったい》 何分《なんぷん》待《ま》たせるわけ!?
只今11時
ガラ―――ン…
私《わたし》は10時半《じはん》に来《こ》いって言《い》われたから10時《じ》に入《はい》ったのよ!!
これはあのバカね!? 絶対《ぜったい》
あのバカが寝坊《ねぼう》してるに違《ちが》いないわ!!
そうですとも
子供の頃から
あのバカときたら
寝起きが悪くて……っ
うぬぬぬぬぬ
ガチャ…
…え…?
マネージャーは一体《いったい》何《なに》をしてるのよ!!
確かにヨーコさん!!
そうよヨーコさん!!
はり倒《たお》してでも引《ひ》きずってでも連《つ》れて来《き》なさいよ!!
全く本当にダメダメコンビね
ふんっ
もうダメッ
責任者《せきにんしゃ》をふんづかまえて文句《もんく》の砲弾《ほうだん》をあびせないと気《き》が済《す》まない!!
――もう――
ガチャ…

…キィ———…
このまま
ずっと

ザワ
ザワ
ザワ
ザワ
不破《ふわ》となんか
会《あ》わなきゃいいんだ――――…
ACT.38 運命のDATE／おわり

スキップ・ビート!
ACT.39 自己幻影《じこげんえい》
SECTION
LME production

ショータローへの復讐第一弾《ふくしゅうだいいちだん》
『ショータローを踏《ふ》み台《だい》にするぞ』計画《けいかく》——!!
パパラッパラ——…!!!
キョーコさん達のキョーコさん達による
キョーコさんのための座談会
今回《こんかい》のこの計画《けいかく》はタレント『京子《きょうこ》』が『最上《もがみ》キョーコ』だとショータローにばれてしまうと阻止《そし》される恐《おそ》れがありますね
可能性《かのうせい》は大《だい》ですね
ヒソヒソ
コソコソ
ヒソヒソ
ここはやはりPV《プロモーションビデオ》を撮《と》り終《お》えてしまうまで別人《べつじん》を装《よそお》うのが得策《とくさく》でしょう
…という訳《わけ》で標的《ひょうてき》を前《まえ》にしてとても至難《しなん》のワザだとは思《おも》うけど
ここはひとつ
復讐成就《ふくしゅうじょうじゅ》のため
奴《やつ》の前《まえ》では有《あ》り得《え》ない
とびきりのチャーミー笑顔《スマイル》で

笑ってえええ
笑ってえええええん
笑ってえええええええええええ
ファイトオオオ
ううう
ううう
ドロドロ
キョオオオオオオオオコオオオオ
ドロロロロロン
もうひとおしいいいい

ニふニニ
にこぉ〜〜〜
いやっだ——!!
も——っ
いきなり不破《ふわ》っち
立《た》ってるんだもん
びっくりしちゃった〜
きゃあああああ
ふ…っ
不破《ふわ》っち…!?
ぱんぱん
ただでさえ
不破《ふわ》っちの
仕事《しごと》だってんで
緊張《きんちょう》したのに
あ
でも
足手《あして》まといにはならない
様《よう》に頑張《がんば》るからっ

ヨロシクね!!
ひょい
…!!
あ…握手《あくしゅ》…!?
そんなバカな…
こいつの方《ほう》から握手《あくしゅ》を求《もと》めてくるなんて……っ
あれ?
なになに?
もしかして不破《ふわ》っちってば握手《あくしゅ》しない人《ひと》ぉ〜〜〜〜〜?
もしかしてチョーケッペキ〜〜?。
チョミ チョ・チョ・ケッペキ?
…え…
い…いや…
じゃあ出《だ》してよっはい
お手《て》!!
ザッ
スポンッ

ん
じゃま そーいう ワケで
ふふん
あたし『京子《きょうこ》』ね
ヨッシク♡
あ…あたし…？ ヨ…ヨッシク…？
お…
ぎゅん ぎゅんっ
…こ…
おお……
こいつ……
本当《ほんとう》にキョーコか……？
なんだこのライトなノリは……
…それに
え〜〜〜!?
じゃあ あたしの案内《あんない》された部屋《へや》間違《まちが》いだったの〜〜〜!?
…って事《こと》は何《なに》!?
もしかして あたし今《いま》一人《ひとり》だけ遅刻《ちこく》状態《じょうたい》!?
…ああ… もう かれこれ 30分以上《ぶんいじょう》

ガ～～ン!! チョ～ショック～～～～!!
…
でも私《わたし》 10時《じ》には来《き》てたんだから遅刻《ちこく》じゃな～いっとっ
きゃはんっ
…
…そんだけ…？
キョーコだったらもっとショック受《う》けると思《おも》うが…
それで不破《ふわ》っち自《みず》ら迎《むか》えに来《き》てくれたんだっ
…お…おお…まあ…
つーかおいミ俺の質問はシカトかよ
キョーコを迎えに来たというか正体を見極めに来たというか
キョーコはもっと落ちついてるぞ……………
きゃあああああっ
ウそー!
不破《ふわ》っちやさし――!!
ドン
ぐおっ
え？ え？ それで それで!? こっち？ そっち？
どっちよっ 不破《ふわ》っち～～っ
きょろきょろ
バタバタ
…こ…これじゃまるで 俺《おれ》の苦手《にがて》なその辺《へん》のコギャルじゃねーか
…こ…こいつ…

キョーコじゃないかもしれね〜〜〜……
やれやれ…とっさに学校《がっこう》でよく見《み》かける女子高生《じょしこうせい》になりきってみたけど
どうやらキョーコの見た女の子達の間で尚は不破っちと呼ばれている模様
うまく最上《もがみ》キョーコを打《う》ち消《け》せたかしら……
ううう
それにしても……
目的《もくてき》のためとはいえ
あんな奴《やつ》と握手《あくしゅ》するなんて…っ
しかも私から……っ
これ…PV《プロモーションビデオ》の撮《と》りが終《お》わるまで続《つづ》くのよね…
いたいた
あ
はぁ〜〜…
私最後《わたしさいご》までもつかなぁ〜〜〜…
もう疲れちゃった……
コツコツコツ
あれミルキちゃん
……っ
は…
ずいぶんゆっくりしてるのね 尚君《しょうくん》
遅《おそ》いから会《あ》えてないのかと思《おも》って様子《ようす》見《み》に来《き》ちゃったわよ

あ…ごめんなさいね『京子《きょうこ》』さん？
こちらの手違《てちが》いでずいぶん待《ま》たせてしまったみたいで
え…
い…いえ
私《わたし》
総合《そうごう》プロデューサーの麻生春樹《あさみはるき》です
よろしく
え

ええええ!!
あ…っ 麻生《あさみ》さんって 女性《じょせい》だったんですか〜〜〜〜!?
…え?
あ…
はた…
いえ… すみません…
お名前《なまえ》で… 男《おとこ》の人《ひと》だと…
ああ
ふふ
よく子供《こども》の頃《ころ》から間違《まちが》われてたわ
くすくす
この人《ひと》の名前《なまえ》はデビュー曲《きょく》のプロモから当然《とうぜん》の様《よう》に知《し》っていた!!
そうよ 昔《むかし》はショータローが出《で》てるものならスタッフだってチェックしてた私《わたし》…!!
…でも今回《こんかい》の事《こと》があるまで この女《ヒト》の事《こと》 麻生《あそう》さんだと思《おも》ってたし
名前《なまえ》も春樹《はるき》で男《おとこ》の人《ひと》だとずっと思《おも》ってたのに…
どーーん
驚異(?)のFカップ!!
どーーん
魅惑の美脚!!

どーーん
文句無し!!
ショータロー好みのフェロモン系〜〜〜…
?
は〜〜〜ん…
…こ〜んな女と仕事《しごと》してたなんて……
しない訳《わけ》よね〜〜〜〜……一切《いっさい》仕事《しごと》の話《はなし》…
ごめんねミルキちゃん心配《しんぱい》かけて
迷《ま》い子《ご》も連《つ》れて来《き》たし
さっさと帰《かえ》って打《う》ち合《あ》わせしちまおうぜ
迷い子
スイ
…あ…
あら
彼女《かのじょ》はほっといていいの?
くす
自分《じぶん》から迎《むか》えに行《い》くって言《い》うから
余程《よほど》気《き》になる子《こ》なんだと思《おも》ったのに

…ああ…
いいの
いいの
どうもキョーコじゃ
ねーみたいだし
もう あんな
コギャルに全然《ぜんぜん》
興味《きょうみ》ねーから
ミルキちゃん♡
ペチッ
こらっもう
よしなさい
こんなとこで
イチャイチャ
ベタベタ
ケチ〜
…ちょ…っ
ちょっとちょっと!!
あんた!!
マネージャーさんは
どうしたのよ!!
マネージャーさんは!!
もしかして
その女《ヒト》にも手《て》エ
出《だ》してる訳《わけ》!?
し…っ信《しん》じっっっ
らんない!!!
ふら ふら
くら くら
あのバカが
私《わたし》の知《し》らない
所《ところ》でそこまで
女《おんな》にだらしなかった
なんて!!
ショーコさんや麻生《あさみ》
さんに対《たい》するアイツの
態度《たいど》見《み》てたら改《あらた》めて
実感《じっかん》するわ…
くら
くら
私《わたし》って…

本《ほん》っっっっ当《とう》に家政婦《かせいふ》以外《いがい》の何者《なにもの》でもなかったんだ……!!
ぬむくくく
私なんかほっぺにチューはおろか肩を抱かれた事なんて一度だって無かったわ……
ヒョイ
さ～てとガンバるぞ～
今更《いまさら》だけど……
ぶっっっっっっっっ殺《ころ》す…!!
ショータロー!!
ピリ ピリ ピリ
殺気
…ん…?
くるっ
きゅるっ
あ——っっ尚《しょう》ちゃんっやっと帰《かえ》って来《き》た——っ
おちおちつけおちつけ……まずは今回の目的を成功させてから……
ぶつぶつぶつ
…?

遅《おそ》いよぉ——っ
もう美森淋《みもりさみ》しかった〜〜〜っ
ぎょっ
…え…!?
パタ パタ パタ
…あれ……?
…な…
なんだ? どうしたポチリ

七倉美森《なのくらみもり》──!!
あ
きゃああああああああ!!
!?
うそ──!!
美森《みもり》ちゃん!!
美森《みもり》ちゃんだわ
チョーカンゲキ──
ビュワッチッ
はじめまして
私京子《わたしきょうこ》です───!!
ひ…っ
…は…っ
はじめまして
って 何《なに》よっ
あ…あなた
最《も》が
いや───!!
ブルルル
ガガガガガ
きゃああああ!!
おおお
美森《みもり》ちゃんが私《わたし》の事《こと》
知《し》ってるなんて
マジカンゲキ───!!
そうよっ
そのとーり!!
私今キュララのCMに
出てるの──!!
よろしくね───!!
ガツィンッ
…あいつ…
スゲー
ミーハーだな…
ポチリみたいな新人《しんじん》
でもいいのかよ…
キョーコじゃ
有《あ》り得《え》ねーな
……
あいつ基本的《きほんてき》に
芸能人《げいのうじん》に興味《きょうみ》
ねーから
おえ〜〜
へ〜〜
おえ〜〜
へ〜〜
…な…
なんでこの人《ひと》が
ここにいるのよ…
こわい…
オバケ
こわいよ…
失神してる

一体《いったい》どういう事《こと》……!?
くすくす
あらまぁ～紹介《しょうかい》する手間《てま》がはぶけちゃったみたいね
…
京子《きょうこ》ちゃんその子《こ》は
尚《しょう》と同《おな》じアカトキエージェンシー所属《しょぞく》の七倉美森《なのくらみもり》ちゃん
…ア
アカトキ……!?
アカトキだったの!?この子!!
ふ…
今回《こんかい》京子《きょうこ》ちゃんと一緒《いっしょ》に
覚醒
尚《しょう》のプロモに出演《しゅつえん》してくれる子《こ》よ

なんですってええ――!?
ドーン
ひやっ
…ちょっ
いきなり何《なに》す…
…
ベタ
…
キッ
尚《しょう》ちゃんと恋《こい》におちる天使《てんし》の役《やく》は 私《わたし》のものよ!!
WHAT《なに》…?
あなたになんか絶対《ぜったい》譲《ゆず》らないんだから!!

SO《だから》 WHAT…!?《なに》
…あ〜〜〜……
つまり 今回《こんかい》のプロモの構成《こうせい》をね 幻想的《げんそうてき》な映像《もの》にしたいのよ
登場人物《とうじょうじんぶつ》は一人《ひとり》の冷酷《れいこく》な悪魔《あくま》と
清《きよ》らかな心優《こころやさ》しい二人《ふたり》の天使《てんし》
その二人《ふたり》の天使《てんし》のうちの一人《ひとり》と これまで誰《だれ》も愛《あい》した事《こと》がなかった悪魔《あくま》が ある日《ひ》出会《であ》って一目《ひとめ》で魅《ひ》かれ合うの
二人《ふたり》は 相容《あいい》れない種族同士《しゅぞくどうし》の恋《こい》がお互《たが》いの身《み》を滅《ほろ》ぼすとわかっていても気持《きも》ちを止《と》められない
たどたどしくも切《せつ》なく燃《も》え上《あ》がる二人《ふたり》の恋《こい》…!!
うっとり…
こくこく
ドキドキ
ほけ…
精気

だけど
そんな二人《ふたり》の恋《こい》も
ついに終《お》わる
時《とき》が来《く》るわ
悪魔《あくま》に魅《み》せられた
天使《てんし》の命《いのち》の危機《きき》
それを悟《さと》った
仲間《なかま》である
もう一人《ひとり》の天使《てんし》が
その手《て》で
悪魔《あくま》を殺《ころ》して
しまうの
ザン
ッ
…なぁに？
京子《きょうこ》ちゃん
私《わたし》…っ
それ
演《や》り
ます!!

え？
え!?
え…と…
やるって
どっち…？
当然!!
悪魔殺《あくまごろ》しの
天使《てんし》の方《ほう》
です!!
い…
いいの…？
憎《にく》まれ
役《やく》よ…？
…なのに
立候補《りっこうほ》してくる
なんて…
やりますっ
いいえ
是非《ぜひ》やら
せて下《くだ》さい!!
私《わたし》っ
日頃常々
寝《ね》ても覚《さ》めても
悪魔《あくま》を
殺《ころ》してみたいと
思《おも》ってたんです
……!!
真剣
…へ…
へえ
〜〜〜…
か…
変《か》わってるのね
〜〜〜〜…
…
…

ばき ばき
…本当《はんとう》に変《か》わってるわよね〜〜〜
私《わたし》 絶対《ぜったい》あの子《こ》 いい役《やく》の方《ほう》 獲《と》りに来《く》ると思《おも》ったのに
それこそ自力《じりき》で獲《と》れなきゃ また事務所《じむしょ》の力《ちから》借《か》りてさ
只今 休憩中
こくん こくん
また？
そ!!
あの子《こ》が今《いま》出《で》てるCMで一緒《いっしょ》に出《で》てる子《こ》もあの子《こ》と同《おな》じ事務所《じむしょ》なんだって
お手洗いに行ってた
ちゃんとオーディション受《う》けた事《こと》になってるけどさ
そんなうまい話《はなし》あると思《おも》う!?
…
絶対《ぜったい》 事務所《じむしょ》の力《ちから》で獲《と》ってもらったのよ!!
…
…ああ… そういや LMEだっつってたな
ミルキちゃんが
そう!!
LME!!
あの顔《かお》だけ俳優《はいゆう》の敦賀《つるが》 蓮《れん》がいるLMEなのよ!!
…顔《かお》だけ俳優《はいゆう》…
…イヤだわ… なんだか どこかで聞《き》いた事《こと》のあるセリフ……

絶対《ぜったい》尚《しょう》ちゃんの方《ほう》が格好《かっこう》いいのに!! なんで世《よ》の中《なか》の女《おんな》はあんなのにだまされるのかしら!!
いや――!!
…
まるで過去《かこ》へ迷《まよ》い込《こ》んで来《き》たかの様《よう》~~~!!
顔《かお》が小《ちい》さいんじゃなくて頭《あたま》が小《ちい》さいのにね!!
脳《のう》ミソなんてきっとサイコロ大《だい》よ!!
んのおおおおおわ…私は何て事をををを
敦賀さぁぁんごめんなさい~~~!!
ガクウッ
ふるふる
ウソつきだけどイヂワルだけどショータローなんか比較《ひかく》にならないくらい尊敬《そんけい》できる人《ひと》なのに~~~!!
私《わたし》なんか あの子《こ》が 敦賀《つるが》 蓮《れん》と同《おな》じ LMEだってだけでムカついて
学校《がっこう》で いちいちイチャモンつけてやってるのっ
はっ
ぱっ
学校《がっこう》!?
なんだ ポチリ お前《まえ》 あの子《こ》と同《おな》じ学校《がっこう》なのか?
うん
同《おな》じクラスよ 実《じつ》は 去年高校《きょねんこうこう》入《はい》れなくて ダブってるから一《いっ》コ年上《としうえ》らしいけど
ガバッ
あの子《こ》 学校《がっこう》の編入《へんにゅう》テスト メチャ成績《せいせき》良《よ》かったみたいだから
入試《にゅうし》で失敗《しっぱい》したって事《こと》は無《な》さそうなのに…なんでかしらね
…

……——
…
…ポチリ
ポイ
パタパタ
…あの子《こ》
名前《なまえ》何《なん》て言《い》うんだ?
なあに?
尚《しょう》ちゃん♡
…キョーコでしょ
それ本名《ほんみょう》か?
苗字《みょうじ》は?
や〜〜〜!!
どーしてそんな事《こと》気《き》にするのぉ——!!
あんな子の事どうでもいいじゃああん!!
ちたぱた
よしよし
教《おし》えてくれたらキスしてやるぞ?
パチピチ
く…っ
口《くち》!?
口《くち》。
ぴこっ
あっあのねっあのねっ
苗字《みょうじ》は
最《も》
ふ
ぐあっ
ぱくぱく
はくはく
な…っなんだ?
おいどうしたポチリ
お前《まえ》どっか悪《わる》いんじゃ…
はきゅ
はきゅ

ふらん
ぐ――!!
…あ…?
なんだよ…
ゴゴゴゴ
しゃべったら呪うからああああ…っ
しゃべったら呪うから～
しゃべったら呪うから～
どろどろどろどろ
尚《しょう》ちゃあああんんはあああんぅうこわ～い～!!
…
くすす
あらあらも～～～不破《ふわ》っちと美森《みもり》ちゃんってばまるで恋人同士《こいびとどうし》っ
イチャイチャしちゃって
殺気
きゅるるん
しゅぽっ
プロモを地《じ》でやっちゃえるわね～～～

二人共《ふたりとも》
とっても
お似合《にあ》い…
ふふっ
うらやま
しいわぁ
………
なんとなく
愛憎劇な
構図
…
…
…
あの三人《さんにん》の間《あいだ》に
えも言《い》われぬ
異様《いよう》な空気《くうき》が…
…なんか
……
──…

…イヤだ…
もしかして
京子《きょうこ》ちゃんも
尚《しょう》の事《こと》…
いえ…でも
待《ま》つて それ
なら
麻生さん
頼まれてた
お弁当買って
来ましたよー
尚《しょう》と恋《こい》に堕《お》ちる
天使《てんし》の方《ほう》を
選《えら》ぶはずよね
……
ぱか
ほかほか
昼食
ごめんね～
お弁当《べんとう》なんかで
～～～
わっ
おいしそ
～～♡
お茶
どうぞ～
あっ
ありがとう
ございます
本当《ほんとう》は お店《みせ》に
してたんだけど
予定変《よていか》わっ
ちゃって

午後《ご ご》からは撮影準備《さつえいじゅんび》に入《はい》るからそのつもりでお願《ねが》いね〜〜〜
あれ
お塩《しお》
あ
ゆでたまごが入《はい》ってるからか〜〜〜〜
わ〜気がきく〜…
ったく〜──
お前《まえ》が弁当《べんとう》作《つく》って来《き》たなんて言《い》うから俺《おれ》の分《ぶん》の弁当《べんとう》省《はぶ》かれただろ〜〜〜
む──ラッ
そんな言《い》い方《かた》ないじゃーん!!尚《しょう》ちゃんに食《た》べてほしくて朝《あさ》早起《はやお》きして作《つく》ったのに────!!
早起《はやお》きして…
ジュワワ〜
るんるん
今日も尚ちゃんが全部食べてくれますよ〜に〜♡
スコ〜…
AM 7:30
既に新聞配達を終わらせた後。そして朝メシ＆昼メシを作ったらすぐモズバーガーへ
ズ〜〜ン…
──…
尚《しょう》お
食《た》べてあげなさい美森《み もり》ちゃんがせっかく作《つく》ってきてくれたんだから
ごめんね〜
…
…そうよ!!食《た》べなさいよ!!女《おんな》の子《こ》が一生《いっしょう》懸命《けんめい》作《つく》ったんだから!!
キッ
…わかったよ
どうせそれしか食うもんねーし…
きゃあ♡
本当《ほんとう》!?
はっ

やった♡
じゃ はいっ どーぞ♡
……
…あんな嬉《うれ》しそうな顔《かお》をして───…
どんなに真心《まごころ》こめたってあのバカには伝《つた》わりゃしないのに…
バカな子ね…
はい♡ あ～ん♡
やめろよ 恥ずかしい
…うう…
この子《こ》も
いつか私《わたし》と同《おな》じ運命《うんめい》を辿《たど》るのかしら───…
……いちいち過去《かこ》の自分《じぶん》を見《み》ている様《よう》で痛々《いたいた》しい
いただきます…
もぎゅっ
ピクッ
…は…
…あ…

～～～……
ミうぐにゅにゅ
静止
ショータローの
あの顔《かお》……
…あれ…
あの
玉子焼《たまごや》き
……
甘《あま》いんだ
……!!
甘い味つけの
玉子焼き
嫌い
ちら
ちら
ふ～…
…あ…っ
コソ…
ちょっと!!
ちら…
…
捨《す》てる
つもり!?
あんた
もしかして!!
ゴミ箱
女《おんな》の子《こ》が

あんたのために
一生懸命《いっしょうけんめい》
作《つく》ったものを
――!!
ピシュ
ヒュッ
!?
みそ

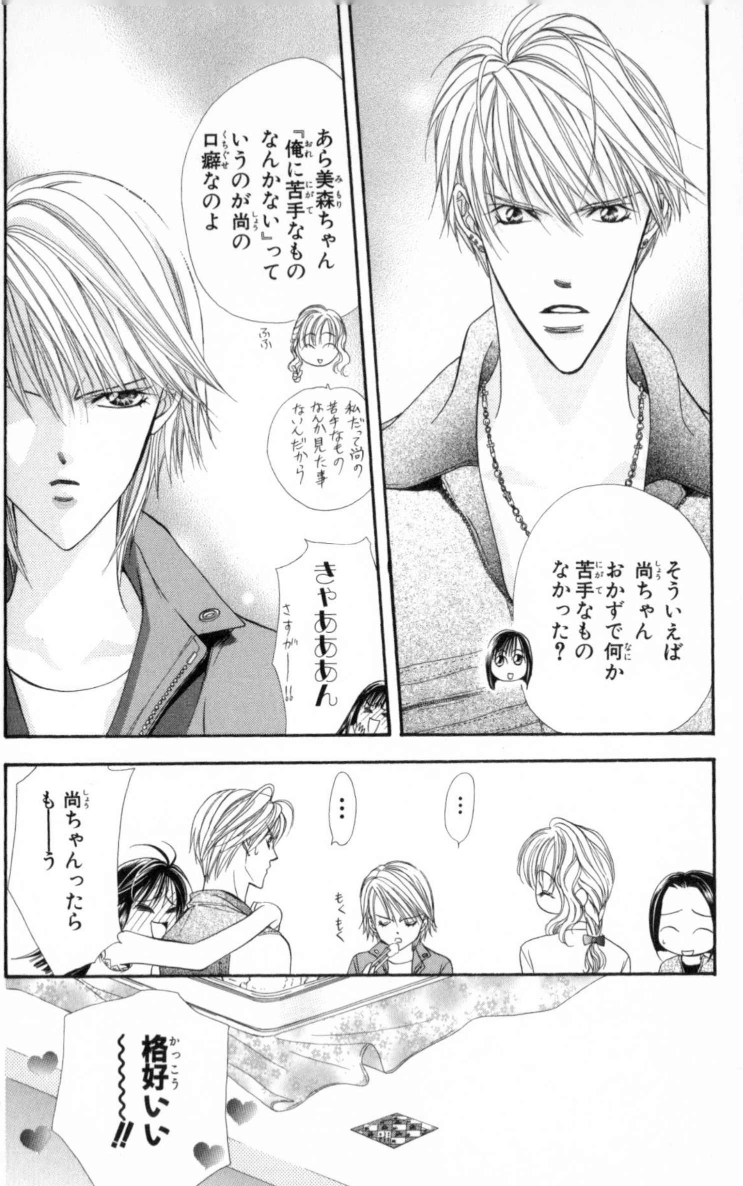
そういえば尚《しょう》ちゃんおかずで何《なに》か苦手《にがて》なものなかった？
あら美森《みもり》ちゃん『俺《おれ》に苦手《にがて》なものなんかない』っていうのが尚《しょう》の口癖《くちぐせ》なのよ
ふふ
私だって尚の苦手なものなんか見た事ないんだから
きゃあああん
さすが——!!
…
…
もくもく
尚《しょう》ちゃんったらも——う
格好《かっこう》いい〜〜〜!!

ACT.39 自己幻影／おわり

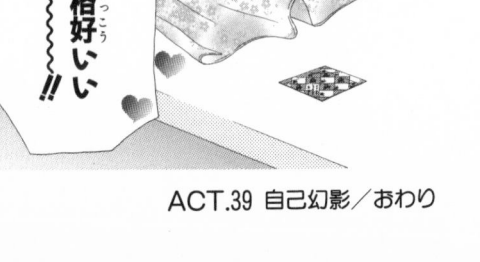

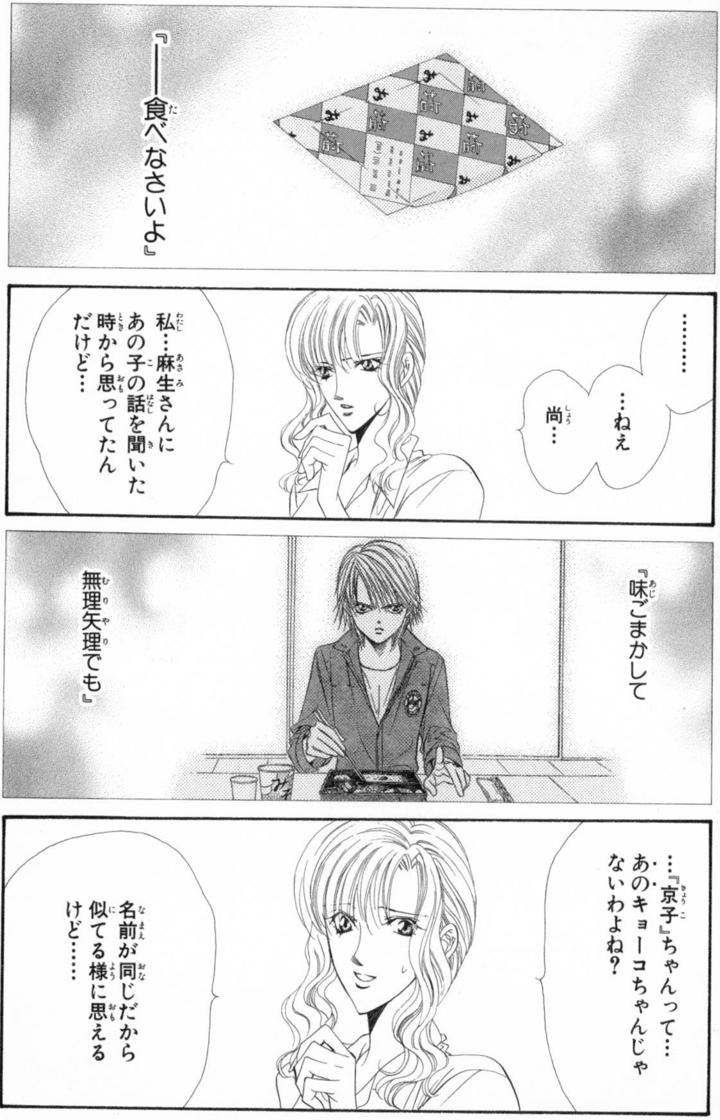
『──食《た》べなさいよ』
………
…ねえ
尚《しょう》…
私《わたし》…麻生《あさみ》さんに
あの子《こ》の話《はなし》を聞《き》いた
時《とき》から思《おも》ってたん
だけど…
『味《あじ》ごまかして
無理矢理《むりやり》でも』
…『京子《きょうこ》』ちゃんって…
あのキョーコちゃんじゃ
ないわよね？
名前《なまえ》が同《おな》じだから
似《に》てる様《よう》に思《おも》える
けど……

『全部《ぜんぶ》食《た》べなさいよ――!!』
ねぇ　尚《しょう》
聞《き》いてる?
ミチャラ…

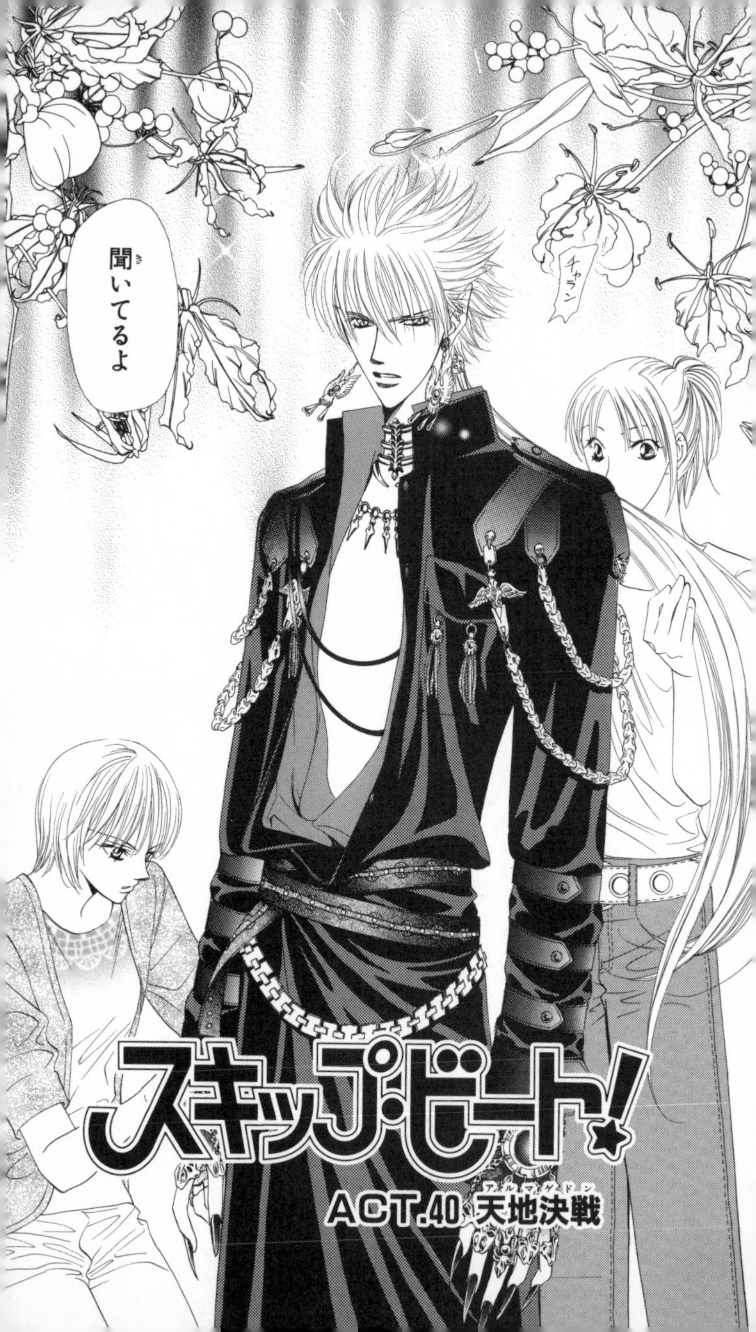

聞《き》いてるよ
チャラン
スキップ・ビート!
ACT.40 天地決戦《アルマゲドン》

あの時《とき》
アイツの あの瞳《め》は 確《たし》かにそう 言《い》っていた
…アイツ
はんあうううう 尚おおお
美しいわぁ〜
東京《こっち》では 誰《だれ》にも見《み》せた事《こと》の ない 俺《おれ》の弱点《じゃくてん》を
甘い玉子焼きは 嫌いなの でも 塩味は好き♡
見抜《みぬ》いてる……
京都《むこう》でも 親《おや》しか知《し》ら ねー様《よう》な俺《おれ》の 弱点《じゃくてん》を……
いやミ正確には親は 俺が玉子焼き自体 嫌いだと思ってるん だが……
カチャ カチャ
カチャ カチャ
さて 尚君《しょうくん》は これで上《あ》がりっ

急《いそ》いで女《おんな》の子達《こたち》の方《ほう》
手伝《てつだ》いに行《い》かなきゃっ
カチャ カチャ
——……!!
…あ
あの化粧品《けしょうひん》……!!
確《たし》か去年《きょねん》
一度《いちど》…
…
…面白《おもしれ》ぇ
——…
…『京子《きょうこ》』
お前《まえ》の そのはがれかかった
化《ば》けの皮《かわ》 完全《かんぜん》に
はいでやる!!
ああ…
……まずいわ
…もしかして…
アイツに
正体《しょうたい》がばれたかも
しれない……
もん もん
お昼《ひる》の
ア…アレで…っ
そう
あんたのために一生懸命作ったものを

だって 相手《あいて》はあの
格好《かっこう》つけたがりの
ショータローよ!!
食《た》べられない
ものがあるなんて
しかも玉子焼き
アイツが東京《こっち》へ
来《き》て誰《だれ》かに
知《し》られるなんてヘマ
する訳《わけ》がない!!
実際誰も
知らない
みたいだった
し……!!
ああ
もう私《わたし》の
バカ
ムキに
なって敵《てき》に
塩《しお》を送って
よこすなんて…!!
いくら
あの子が過去《かこ》の
自分《じぶん》とダブって見《み》えた
からって……!!
はい
ちょっと目を
閉じててね
……
ほぉ〜〜〜
ほぉ〜
〜…う…
…な…
なに…!?
何《なに》ジロジロ
見《み》てるの!?
え…
…あ
綺麗《きれい》だな
〜〜って思《おも》っ
て〜〜…
…
…
うっとり……

…————!!
…賛辞をよこされた…
よくわからない人《ひと》ね
この人《ひと》 私《わたし》の事《こと》嫌《きら》いじゃないのかしら…
意地悪いっぱい言ったのに…
ドキドキ
はう〜〜うん
ウキウキ
ワクワク ソワソワ
…ああ…っ 早《はや》く私《わたし》もメイクされたいな〜〜〜〜〜!!
綺麗になりたい〜〜〜い♡
むこう
あ…っ
あなたなんかっ どんなにメイクしたって尚《しょう》ちゃんの心《こころ》はつかめないわよ!!
…っ
貴女《あなた》のような バストの 女《おんな》の子《こ》よ
ひと皮むけばなんと意外とデカかったEカップ
あなたなんか全然《ぜんぜん》尚《しょう》ちゃんの好《この》みのタイプじゃないんだから!!
うん 知《し》ってる
は?。
彼《かれ》の好《この》みは

…この子《こ》は違《ちが》う………
絶対《ぜったい》私《わたし》と同《おな》じ道《みち》なんか辿《たど》りはしない…!!
あのふたつの豊かなふくらみがある限り!!
…こうなってくると益々《ますます》自分《じぶん》のした事《こと》がムダに思《おも》える……!!
ううっ
…
…この人《ひと》…
本当《ほんとう》にわからない人《ひと》だわ…
別《べつ》に尚《しょう》ちゃんが好《す》きな訳《わけ》じゃないのかしら……
…でも…じゃあ…
あの殺気は……?
あの時《とき》は確《たし》かあの人《ひと》の本名《ほんみょう》を言《い》おうとしてて…
…そういえばあの時《とき》も…
…は…っまして
いや
ブルルル
きゃああああ!!
…あれ…?
なに…?もしかして
何《なに》か尚《しょう》ちゃんに本名《ほんみょう》を知《し》られちゃいけない理由《りゆう》でもある訳《わけ》…!?
…やっぱり怪《あや》しい……!!
ミモリちゃんどーしたの?。顔怖い
え〜〜〜いバレてないかもしれないのにゴチャゴチャ考《かんが》えるのよそう
敵《てき》の出方《でかた》を待《ま》つのよ!!
コン コン
あ

よかった〜
きっと助人《すけっと》よっ
どうぞー
ガチャ
そっちどぉ〜〜〜〜？
順調《じゅんちょう》に進《すす》んでる〜〜〜？
!!
!!
!!
ザ
ー!!
…な…っ
……
キャ――!!
尚《しょう》ちゃあああん!!
ウソー!!
コツ
コツ
コツ
コツ
スゴォ――イ!!
チョー格好《かっこう》いい――!!
キャーキャー
キャー
なにあれ……!!
わかってるって

←ツヤツヤ
キラキラの
銀髪《シルバーヘア》
←とんがった耳
←カラコンによる
赤い瞳
←人形の様な
ご綺麗な肌
←華美な
装飾衣装
…ム…
なんだかまるで
空想世界《おとぎのくに》の王子様
ムカつく……!!
キャーキャーキャー
尚君きれ～～
ほらポチリ
メイク途中
だろ
おとなしく
座ってろ
…っ
イラ
そ…そうね
ミモリちゃん
仕上げちゃい
ましょっ
んむ～～っ
そ～～
はっ
…!!

コツン…
のっそり
ぎょっっ
…!?
じーー…
…
ぎょぎょ
…な…
…なに…?
…今《いま》…
俺《おれ》に見惚《みと》れてたろ
ぐあっ
見惚《みと》れてないわよ!!
あまりにイカれた仕上《しあ》がりにあっけにとられてただけ
スウ…
にやり
ウソつけよ
…好《す》きなくせに

こういうの
ボソ…
…なんの話《はなし》？
…な…
まさか…
もう はっきりと確信《かくしん》を得《え》て…!!
妖精《ようせい》だの王子《おうじ》だのお姫様《ひめさま》だのの話《はなし》
…な…
なんの事《こと》かわからないわね
いえ…っまだ…っ
証拠《しょうこ》が無《な》いわ!!
うふふふ
イヤだわねぼけてるの？不破《ふわ》っちっちたらっ

確《たし》かな証拠《しょうこ》をつかまれるまではシラを切《き》り通《とお》すのよ!!
『不破《ふわ》っち』じゃねーだろ?
ショーちゃん♡って呼《よ》んでくれよ
ゾゾゾゾゾゾ
何《なに》この体勢《たいせい》!!
何《なに》このセリフ!!
ひぃぃぃぃっ
ほうら早《はや》く
ぬっ
!?
トン
ちゃんといつも通《どお》り
イヤー!!
絶対《ぜったい》イヤー!!
二度《にど》とイヤー!!
ギャああああああ
うわはははははっ
何《なに》言《い》ってるの!!
不破《ふわ》っち!!
誰《だれ》!! この男《おとこ》──!!
パニック
迫りモードのショータローとは初対面の女
ふふふふざけないでよ──!!
いやああ
ああああああ
ああああああ
ドリアーッ

尚《しょう》ちゃんのバカバカバカ――ッ
なんで美森《みもり》をさしおいてあんな子口説《くど》くの――!!
バカ誰《だれ》が口説《くど》くか
パカ ポコ
ミエミエ誰がどう見ても口説いてたよね
迫ってたよね
た…
ぜ～…は～…
助《たす》かつた――…
ぜ～…は～…
くそ…
もうちょつとでボロを出《だ》しそうだつたのに
…しょーがねエな
早《はや》いとこメイクしちゃいましょ
アレでいくか――…
…じゃ京子《きょうこ》ちゃん
京子《きょうこ》ちゃんもこれに着《き》がえて
メイク時に着せられる服
どき…っ
…は…
…あ…

…はい…っ
──…
ずいぶん
嬉《うれ》しそう
だな…
ほくほく
わくわく
…そうか…
去年《きょねん》
までは
アイツもやっと
化粧《けしょう》に興味《きょうみ》持《も》つ
様《よう》になったんだ
ふんご
やっほれ

…なんだ…
それ
欲《ほ》しいのか?
え!?
うっ ううん!!
いらないっいらないっ
こんなの欲《ほ》しくないよ!!
ぜーん然っ ちがうっちがうの
──なんて
言《い》ってた
くせに
お
この変《か》わった
形《かたち》の化粧品《けしょうひん》
形《かたち》が可愛《かわい》いから
見《み》てただけって
実《じつ》にアイツ
らしい理由《りゆう》と
確《たし》か 前《まえ》に
見《み》た事《こと》
あったんだけど
なんて名前《なまえ》だったっけ
な〜〜〜…
ああ
それね
それ人気《にんき》
ブランドから
出《で》てる
勝手《かって》に
そう
そう
確《たし》か 思《おも》い出《だ》した
アイツらしい
思考《しこう》で

名前《なまえ》までつけて
ロイヤル・スノーっていい
オデット!!
悲劇のプリンセス・オデット
チャ～チャラララ～ラ～ラ～ラララ～ララ～
白鳥の湖
あああその姿形
たたずまい
やはりあなたは美しいいい
……は…………!!
…オデット……?
…
…
…し…
こたぁ～…
にっ
ふよ…

しまった――――!!
ザワ
ザワ
ザワ
ザワ
…やっぱり
俺《おれ》は
納得《なっとく》できないな

…何《なに》がですか？
………
いきなりですね……
お前《まえ》の様《よう》な
判断力《はんだんりょく》も決断力《けつだんりょく》もあって慎重《しんちょう》な奴《やつ》が
初《はじ》めから押《お》そうと思《おも》ってたスタンプをうっかり本気《ほんき》で押《お》し間違《まちが》えるなんて
…飛行機《ひこうき》の中《なか》でも話《はな》したでしょう？
…
まだ言《い》ってるんですか…
あ・の・100点《てん》スタンプは本当《ほんとう》に押《お》し間違《まちが》えたんだって……
キョーコちゃんが可哀想《かわいそう》だ…
ぐすっ
ぴた…
…
間違《まちが》えたからって
ぐすぐす
何《なに》も律儀《りちぎ》にマイナス押《お》さなくってもっ
…
100点《てん》のままあげたって良《よ》さそうなものをっ
…
お前がそんなケチんぼだったなんて俺は悲しい…っ
キョーコちゃん
灰《はい》になる程《ほど》お前《まえ》のために頑張《がんば》ったのに…!!
ミスウ…

…
びく
今《いま》なんか気温《きおん》が下《さ》がった…!?
──あの子《こ》が頑張《がんば》ったのは
俺《おれ》のためじゃないじゃないですか
あの子《こ》は自分《じぶん》の仕事《しごと》に汚点《おてん》を残《のこ》したくなかっただけなんです
そんな自己満足《じこまんぞく》で果《は》たした仕事《しごと》に
義理《ぎり》にでも100点《てん》はあげられませんね
──……成程《なるほど》…
つまりやっぱり初《はじ》め100点《てん》押《お》したけどキョーコちゃんの自己《じこ》満足発言《まんぞくはつげん》聞《き》いてマイナス押《お》したんだ
はっ
…あ…
へ～そ～なんだふ～んやっぱりっいや俺《おれ》もそうじゃないかと思《おも》ってたんだ
だからも～それをはっきりさせたくてさせたくて
社の蓮に聞きたいもう1つの疑問めでたく解消
あースッキリした
──……
…やっぱり大人《おとな》げなかったですか
一度《いちど》押《お》したものを変《か》えるなんて
う～ん…まあそうかもしれないけど
でも気持《きも》ちはわかるよ

自分《じぶん》のために
やってくれてると
思《おも》ってた
『一生懸命《いっしょうけんめい》』が
実《じつ》は義務《ぎむ》だったって
わかったら 誰《だれ》だって
ショックだからね
それが
好《す》きな女《おんな》の子《こ》
だったら
なおさらだよ
——…え…?
——…え…?
…って何…?
…いえ…
あの…

確《たし》かに あの子《こ》の事《こと》は
嫌《きら》いじゃ ないですけど…
今はもう
あの子《こ》がまだ ラブミー部員《ぶいん》としての 主旨《しゅし》をよく理解《りかい》して ないからで…
別《べつ》に 社《やしろ》さんの言《い》う 個人的感情《こじんてきかんじょう》で 押《お》した訳《わけ》では…
何《なに》を寝《ね》ぼけた 事《こと》を!! この 若僧《わかぞう》!!
社 倖一25歳
な
でも
俺《おれ》がマイナス ポイント押《お》した のは
キョーコちゃん相手《あいて》 だと あんな 瞳《め》をするくせに …!!
他じゃ俺は 見た事 ないぞ!!
まさか
蓮《れん》…!!
こんな恋愛《れんあい》 百戦錬磨《ひゃくせんれんま》な 顔《かお》をしていて…!!
こいつ…!!
…?

とてつもなく恋愛音痴《れんあいおんち》なんじゃ――……!!
――ねぇ
尚《しょう》ちゃん!!
ツヤツヤサラサラストレート金髪《ブロンド》→
カラコンによるブルーの瞳→

おっ
似合《にあ》ってんじゃねーかポチリ
すげー可愛《かわい》いぞ
ホント!?
ああ
すげー俺好《おれごの》み
その胸強調《むねきょうちょう》した衣装《いしょう》
きゃあああん
うれしい~~♡
はっ
…じゃないわよっ
話《はなし》そらさないでよっ尚《しょう》ちゃん!!
あの京子《きょうこ》っ
ううん
最上《もがみ》キョーコとどういう関係《かんけい》なのよ!!
…あ――…?
カンケ~?。
…そうだな――…

…私《わたし》を…降《お》ろさないの…？
降《お》ろす？なんで？
俺《おれ》は
お前《まえ》が何《なに》しようが痛《いた》くもかゆくもねーんだぜ？
——俺《おれ》に
復讐《ふくしゅう》とやらをしに来《き》たんだろう——…？
——…強《し》いて言《い》えば…
ふ…
敵《てき》——…？
え…？
ザワ

なに？
…え…？
せっかくここまでやって来《き》たんだ
…それで次撮《つぎと》る尚《しょう》のカット割《わ》りなんだけど…
…
…麻生《あさみ》さんっ
なに？
チャンスをやるよ
お前《まえ》が
一体《いったい》

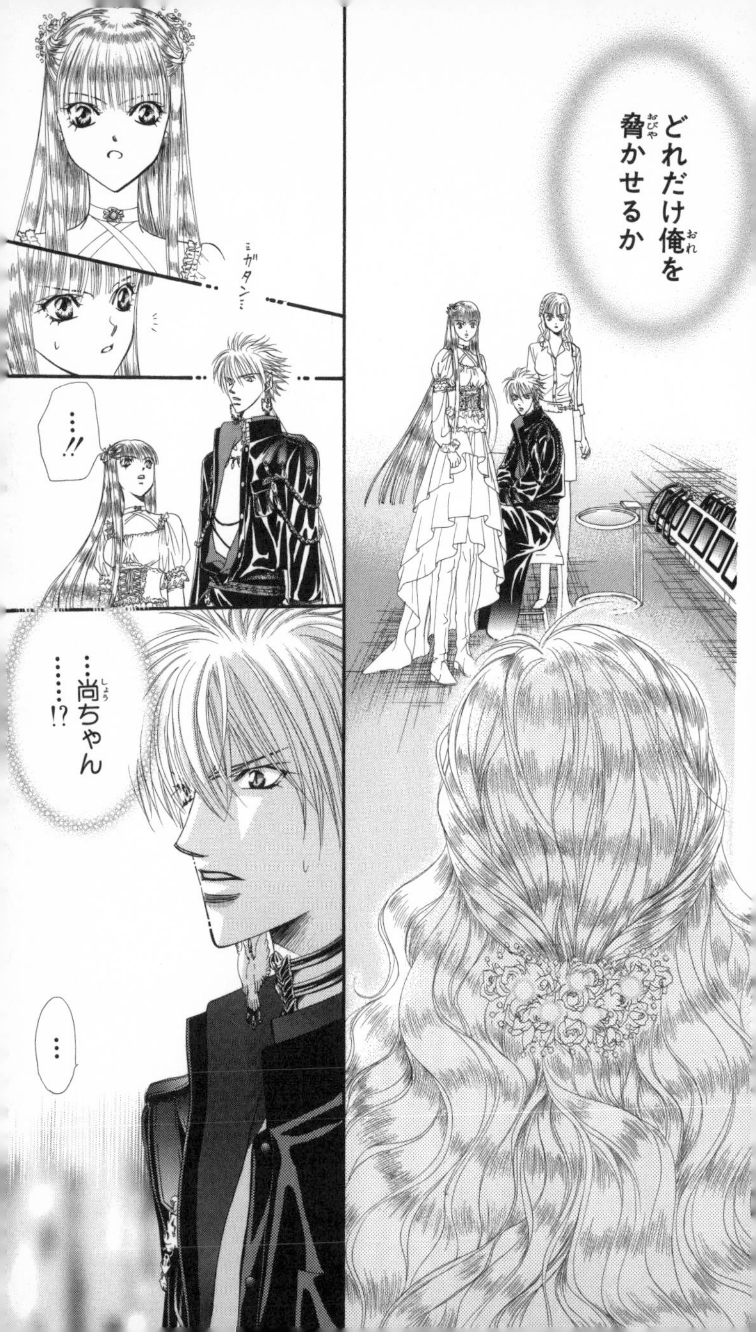
どれだけ俺《おれ》を脅《おびや》かせるか
ガタン…
…!!
…尚《しょう》ちゃん……!?
…

——試《ため》させてやる
俺《おれ》は
逃《に》げも隠《かく》れもしねーから

お前《まえ》の
やりたい復讐《こと》を

――やってみろ
…マジか――…
ACT.40 天地決戦／おわり

Q
ANGEL ANGEL
Q

Q
ANGEL ANGEL
Q

スキップ・ビート!
ACT.41 悪《あく》魔《ま》殺《ごろ》し

K
DEVIL DEVIL
K

K
DEVIL DEVIL
K

この世《よ》で
多分《たぶん》アイツが
一番《いちばん》俺《おれ》の事《こと》を
知《し》っている
それと
同《おな》じ様《よう》に
アイツの事《こと》は
俺《おれ》が一番《いちばん》知《し》っていると
思《おも》っていた───…

今日《きょう》
この時《とき》までは――

…う…そ
…
…本当《ほんとう》に…？
ちらッ
…
…尚《しょう》ちゃん——…
…
…お前《まえ》…
マジで…

キョーコか
…痛《い》…っっっ
…痛《いた》い…？

でもね
私《わたし》のココ・・・が壊《こわ》れた痛《いた》みは
トトン
そんなもんじゃないのよ…!!
ぐぐぐ
お前《まえ》…っ
事《こと》もあろうにこの俺《おれ》に蹴《け》り入《い》れやがったな……!?
…っ
…お…っ
ぐぐぐぐ
しかもっその上《うえ》チンピラの如《ごと》くガンタレながら胸《むな》ぐらを…っ
…し…っ
ししし
ししし

信《しん》じらんね――!!
こいつ…
――私《わたし》はね
なんにもいらない
ショーちゃんが居《い》てくれるから
他《ほか》には
もう なんにもいらないの
キョーコのくせに…!!
なぁに?
私《わたし》があんたに蹴《け》りなんか入《い》れるハズがないと思《おも》ってた……?
それはあんたを世界《せかい》の中心《ちゅうしん》に生《い》きていた昔《むかし》の私《わたし》でしょう……?
残念《ざんねん》だけど今《いま》ではねェ………

あんたが知《し》ってる
純粋《じゅんすい》で無垢《むく》な私《わたし》はもう
どこにも居《い》ないのよ
ドンッ
...あんたが格好《かっこう》つけで良《よ》かったわ……
私《わたし》を この仕事《しごと》から降《お》ろさなかった事《こと》

死《し》ぬ程《ほど》
――……
後悔《こうかい》させてあげる――……
くすっ

――それは
真《ま》っ白《しろ》な天使《きみ》が汚《けが》れた瞬間《しゅんかん》――

狂《くる》わせたのは
悪魔《ぼく》――――…
…驚《おどろ》いた…
天使《てんし》が悪魔《あくま》に変《か》わる瞬間《しゅんかん》を本当《ほんとう》に見《み》ると思《おも》わなかったわ――――…
…私《わたし》 あの子《こ》の後《うし》ろに黒《くろ》い羽《はね》が見《み》えちゃった…
それは真っ白な天 汚《けが》れた瞬間 狂わせたのは 魔――――…
スゴイですね
あの子《こ》 このプロモの天使役《てんしやく》 スゴイハマリ役《やく》ですよ
…そーねェ…
もしかして だから立候補《りっこうほ》してきたのかしら…

私《わたし》っ
日頃《ひごろ》常々《つねづね》
寝《ね》ても覚《さ》めても
悪魔《あくま》を
殺《ころ》してみたいと
思《おも》ってたんです
……!!
真剣
…へ…
へえ
〜〜〜…
…尚《しょう》
あなた
あの子《こ》とは
元々《もともと》知《し》り合《あ》い
だったの？
…
…は…
…
だったはず
コツン…
…え…？
なんだけどね
…幼馴染《おさななじ》み…
ええ!?

…あんなアイツ
俺《おれ》は
知《し》らねェよ…
あんな
悪魔《あくま》みたいに性格《タチ》の悪《わる》い―――…
そのくせ
あんな―――…
…

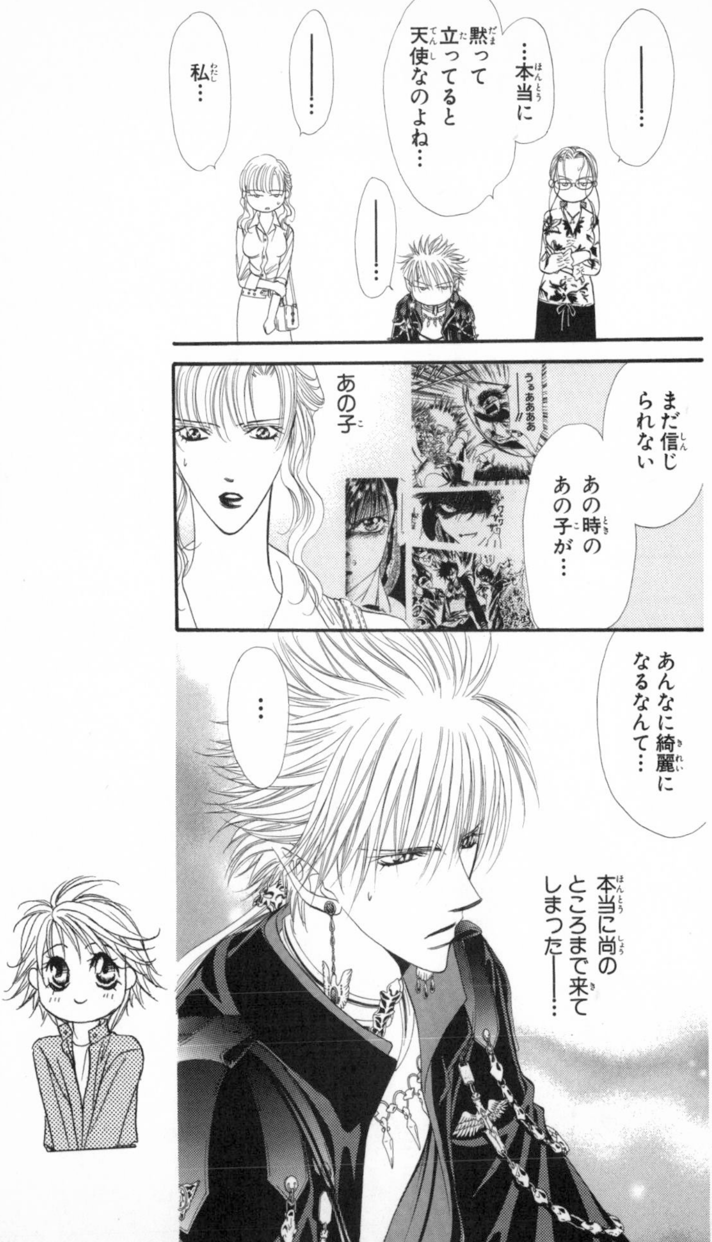
―――…
…本当《ほんとう》に黙《だま》って立《た》ってると天使《てんし》なのよね…
―――…
―――…
私《わたし》…
まだ信《しん》じられない
あの時《とき》のあの子《こ》が…
うるあああああ―――!!
あの子《こ》
あんなに綺麗《きれい》になるなんて…
…
本当《ほんとう》に尚《しょう》のところまで来《き》てしまった―――…

ほんの数《すう》か月前《げつまえ》まで
ただの一般人《パンピー》だったのに——……!!
あら
安芸《あき》さんも知《し》り合《あ》いだったの？
…あ
いえ…私《わたし》は一度《いちど》面識《めんしき》があるだけで…
特別親しくは…
そんな私《わたし》でもショックなんだもの…
きっと
尚《しょう》のショックなんてケタ外《はず》れ——…
………
スウ

…尚《しょう》？
コツ コツ コツ コツ
…？
ミコツン…
…あれ
…
…何《なん》だよ
なんとか しなさいよ
…あ？

しく しくしくしく しく しく しくしく
あ…っあのねっ
美森《みもり》はねっ
一生懸命《いっしょうけんめい》
やろうと努力《どりょく》
してるのぉ…っ
でも…っ
でもどうしても
仲《なか》の良《い》い演技《えんぎ》が
できないの…っ
だって
私《わたし》この子嫌《こきら》い
なんだも～～ん!!
ぴえ～～
…
…あの
ねェ…
…
…美森《みもり》
ちゃん…
あのねェ…
嫌《きら》いだから
できないなんて
通《とお》らない事《こと》
くらいわかる
でしょう？
…
…
しくしくしくしくしく
お前《まえ》 本当《ほんとう》に
女《おんな》には嫌《きら》われる
奴《やつ》だな
前々から思ってたが
生《い》きてて ふいに
悲《かな》しくならねーか？
全部《ぜんぶ》あんたが
悪《わる》いんでしょー
が!!
何を他人事《ひとごと》みたいに!!
ぐあっ
キョーコちゃん
顔《かお》…顔《かお》…

む…っ
何《なん》で俺《おれ》が悪《わる》いんだよっ
あんたが子供《こども》の頃《ころ》から私《わたし》にだけ慣《な》れ慣《な》れしかったせいであんたを好《す》きなバカ女《おんな》共《ども》から私《わたし》は迫害《はくがい》を受《う》けてたのよ!!
『俺《おれ》にはファンが!? すげー!! さすが俺《おれ》!!』とか思《おも》ったわね…今《いま》
…
むか むか むか
ザワ ザワ
…なに…?
…って事《こと》は確《たし》か幼稚園《ようちえん》の頃《ころ》にはお前《まえ》は よく一人《ひとり》でいたから…
そんな頃《ころ》からもう既《すで》に…
あんたのそういうトコがスッゴイ嫌《いや》!!
少《すこ》しは罪悪感《ざいあくかん》を感《かん》じたらどうなのよ!!
なんで俺《おれ》がそんなもん感《かん》じなきゃいけねーんだよっ
物心《ものごころ》つく頃《ころ》には一緒《いっしょ》に暮《く》らしてた様《よう》な奴《やつ》に
慣《な》れ慣《な》れしくしてた俺《おれ》の一体《いったい》何《なに》が悪《わる》
いやああああああああああ
ああああああああ

私《わたし》の前《まえ》で二人《ふたり》にしかわからない話《はなし》しないでよ――!!
…は――
…
困《こま》ったわね
今回《こんかい》のプロモドラマ仕立《じた》てとはいっても一切《いっさい》セリフは入《い》れないから
表情《ひょうじょう》や動《うご》きだけで三人《さんにん》の気持《きも》ちを表現《ひょうげん》してかなきゃいけないのに……
…すみません…うちの美森《みもり》が……
京子《きょうこ》さんもごめんなさいね
『嫌《きら》いだからできない』なんて
新人《しんじん》とはいえプロにあるまじき事《こと》言《い》って嫌《いや》な思《おも》いさせてしまって
え
い…っいえ…
演技《えんぎ》は気持《きも》ちに左右《さゆう》されますからねっ
あははっ
私は気にしてませんからっ
待ちましょう!!
…まあ…っ
あなた同《おな》じ新人《しんじん》さんなのに…っ

なんてできた人《ひと》なの…!!
…だって…私《わたし》だってショータローに恋《こい》する役《やく》をやれって言《い》われたら泣《な》いちゃうもの
そして訴えるわ 嫌いだから できませんって
…だけど…
気持《きも》ちはわかる…わかるけど
それじゃ私《わたし》が困《こま》るのよ…
プロモの撮影《さつえい》が進《すす》まない事《こと》には私《わたし》の目的《もくてき》が成就《じょうじゅ》されないんだから
その子《こ》は私《わたし》とあんたの仲《なか》を誤解《ごかい》してるだけ…!!
いいこと!? ショータロー!!
私達《わたしたち》はただの腐《くさ》れ縁《えん》っ いいえ それ以下《いか》の関係《かんけい》だと とくと言《い》い聞《き》かせんのよ!!
そしてトドメに!! 二度《にど》とシノゴノ言《い》わせない様《よう》チューの一《ひと》つもぶちかましておやり!!
行け!! スケコマシ!!
いつも麻生さんや祥子さん相手にやってんだから得意でしょ!!
…いや…もう本当《ほんとう》に…アイツは最上《もがみ》キョーコという名《な》の知《し》らねー女《おんな》だから…
…
言《い》っただろ初《はじ》めに『敵《てき》』だって…
キャーもーっ キョーちゃん 裸でウロウロしないで
上だけじゃんっ
失われし100% ピュア時代
…

今《いま》でも本当《ほんとう》にそう言《い》いきれる……？
あ？あたり前《まえ》だろ
なんでんな事聞《ことき》くんだよ
…だって…
あの子《こ》が天使《てんし》の姿《すがた》で出《で》て来《き》た時《とき》
尚《しょう》ちゃん
あの子《こ》に見惚《みと》れてた……
奪《うば》われたのは──
瞳《め》だけじゃない
ボクさえ持《も》て余《あま》していた
『時間《じかん》』と『狂気《こころ》』

ボクの闇《やみ》に
突《つ》き刺《さ》さった
…
キミは
抜《ぬ》けない
光棘《とげ》———…
つつって!!
だから!!
ワナ ワナ
ふる ふる
なんで俺《おれ》は
アイツを見《み》てるん
だよ…!!
そしてなぜ
バックに歌詞が
流れる…!?
それもこれも
ポチリの奴《やつ》が変《へん》な事《こと》
言《い》うからだ———!!
何《なに》が『見惚《みと》れてた』
だ!! ああいうのはなぁ
『見惚《みと》れてた』って
言《い》わね———!!
ぬおおおっ

あれは!!
あまりにイカれた仕上《しあ》がりにあっけにとられてただけ
…そのセリフ…どっかで聞《き》いた
とにかくあり得《え》ねー!!
絶対《ぜったい》あり得《え》ねー!!
子供《ガキ》の頃《ころ》からアイツが何《なん》たるかを俺《おれ》は知《し》りつくしてんだぞ!!
それがなんで今更《いまさら》
ついさっき知《し》らねー女《おんな》だって言《い》ったくせに…
はうあぁっ
知能犯にはなれないタイプ
おのれ…キョーコ…!!
俺《おれ》に恥《はじ》かかせやがって…!!
キョーコの分際《ぶんざい》で……

…
…尚《しょう》…

今《いま》どっちを見《み》てる?
コツン
はっ
ぎや…!!
あっけに取《と》られるなんて!!
負けてるみたいで
許《ゆる》せん——!!
尚《しょう》っ
これはあなたのために言《い》ってるのよ
べ…っ別《べつ》にどっちも見《み》てねーよ!!
はん!! 俺の目はいつも明日《あす》の自分に輝く クギづけだ!!
それはいけないわね
あなた
もっとよく京子《きょうこ》ちゃんを見《み》といた方《ほう》がいいわよ
サッ
グリンッ
いや——!!
アイツは俺《おれ》に復讐《ふくしゅう》しに来《き》たんだぞ!!
キイッ
もう意地でも見んん!!
なのにアイツに見惚《みと》れるなんて
いやっ ちがうっ

あの子《こ》に負《ま》けたいの!?
ピクッ
…なに…?
美森《みもり》ちゃん
あなたの説得《せっとく》でもう一度《いちど》京子《きょうこ》ちゃんに向《む》き合《あ》ってくれはしたけど
完全《かんぜん》にノリ気《き》ではなかったはずなのよ
…尚《しょう》ちゃんがそんなに必死《ひっし》になるとこ初《はじ》めて見《み》た
尚《しょう》ちゃんを信《しん》じる…
あの子《こ》
さっきから
必死《ひっし》になって否定《ひてい》するのは美森《みもり》に誤解《ごかい》されたくないからだよね!!
…ん?
あ゛ぁぁ〜〜…
わかった
まだ不安《ふあん》だけど
初《はじ》めは浮《う》かない顔《かお》してたのに

京子《きょうこ》ちゃんにつられて

いい表情《かお》するの――……
……
――……
…京子《きょうこ》ちゃん
あの子《こ》…
予想外《よそうがい》なのはビジュアルだけじゃないわ
演技《えんぎ》もよ…っ

私《わたし》を
この仕事《しごと》から
降《お》ろさなかった
事《こと》
死《し》ぬ程《ほど》
後悔《こうかい》させて
あげる――……
尚《しょう》
あなた
京子《きょうこ》ちゃんとの
シーンは
気《き》を引《ひ》きしめて
ないと
…アイツ…

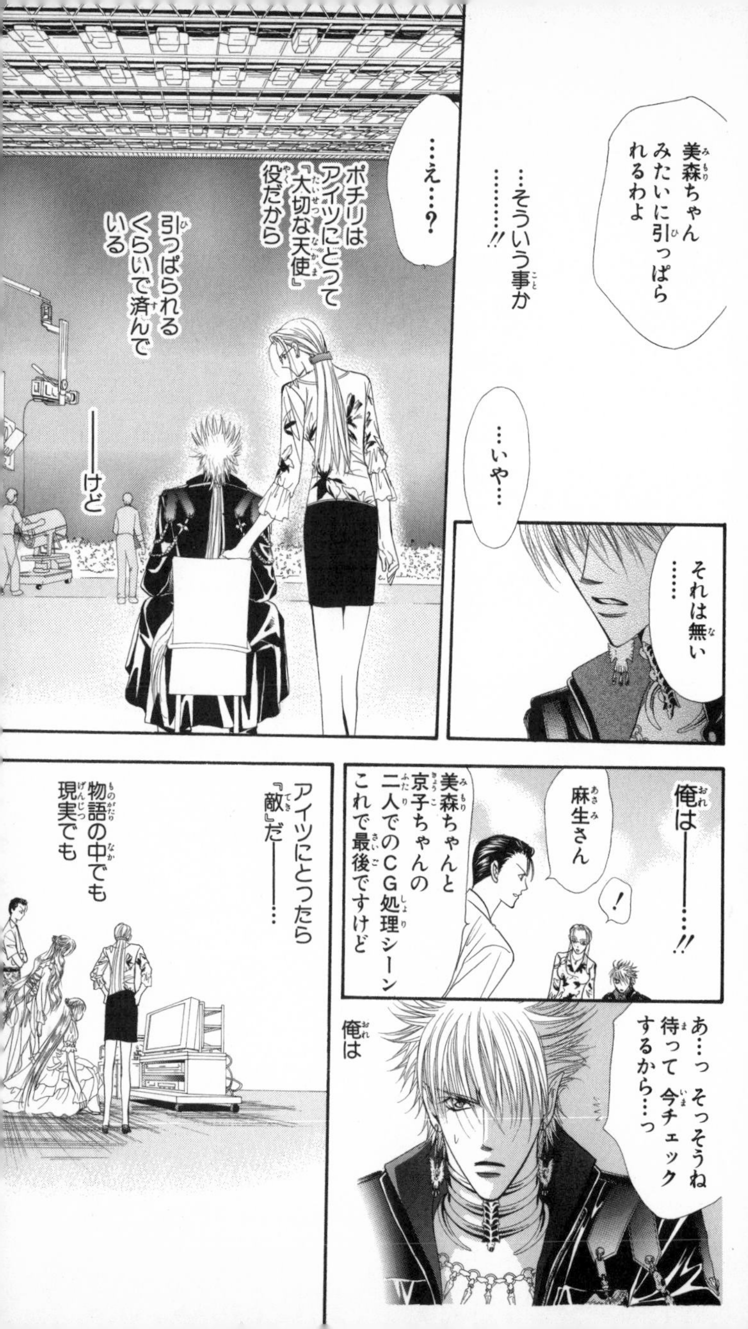
美森《みもり》ちゃん
みたいに引《ひ》っぱら
れるわよ
…そういう事《こと》か
………!!
…え…?
ポチリは
アイツにとって
『大切《たいせつ》な天使《なかま》』
役《やく》だから
引《ひ》っぱられる
くらいで済《す》んで
いる
――けど
…いや…
……
それは無《な》い
俺《おれ》は――…!!
麻生《あさみ》さん
!
美森《みもり》ちゃんと
京子《きょうこ》ちゃんの
二人《ふたり》でのCG処理《しょり》シーン
これで最後《さいご》ですけど
あ…っ そっそうね
待《ま》って 今《いま》チェック
するから…っ
俺《おれ》は
アイツにとったら
『敵《てき》』だ――…
物語《ものがたり》の中《なか》でも
現実《げんじつ》でも

アイツは
物語《ものがたり》の中《なか》で
悪魔《おれ》を殺《ころ》すと
同時《どうじ》に
この
俺・を
演技《えんぎ》で
喰《く》い殺《ころ》す気《き》だ
——……!!
ACT.41 悪魔殺し／おわり

《収録作品メモ》

●ACT.36　魅惑のサクセスロード　平成15年　花とゆめ20号掲載
●ACT.37　軋む歯車　平成15年　花とゆめ21号掲載
●ACT.38　運命のDATE　平成15年　花とゆめ22号掲載
●ACT.39　自己幻影　平成15年　花とゆめ23号掲載
●ACT.40　天地決戦　平成15年　花とゆめ24号掲載
●ACT.41　悪魔殺し　平成16年　花とゆめ２号掲載

花とゆめCOMICS
スキップ・ビート！⑦

2004年７月25日　第１刷発行
2004年８月30日　第２刷発行

著　者　仲　村　佳　樹

発行人　草　彅　紘　一
発行所　株式会社　白　泉　社
〒101-0063
東京都千代田区神田淡路町２－２－２
電話・編集　03(3526)8025
販売　03(3526)8010
業務　03(3526)8020
印刷所　図書印刷株式会社

ISBN4-592-17827-0
Printed in Japan　HAKUSENSHA